恋愛ミステリー

観覧車

柴田よしき

祥伝社文庫

目次

観覧車

1

花は終わりかけていた。

時折、サッと比叡山《ひえいざん》から降りて来る風に舞って、ほのかに紅色をした花弁が唯《ゆい》の頰《ほお》に触れ、短く切られた髪にじゃれつく。花冷えの八瀬《やせ》は、まだ革ジャンで丁度いいほど肌寒い。だがこの寒気も今日明日限りだろう。ものの二週間もたたないうちに、緑の季節だ。

唯は、入場ゲートのすぐ脇に立って、この日何本目かの煙草《たばこ》に火を点《つ》けた。

観覧車は、ゆっくりと回っている。彼女の乗った小さなゴンドラが、もうわずかで出発点に戻る。やがてあの小さな箱から降りた彼女は、いつものようにひっそりと、ベンチに座るのだろう。

これで十五日。

唯は溜息《ためいき》をついた。

唯が白石和美《しらいしかずみ》の尾行を始めて二週間、彼女は、毎日ここで観覧車に乗っていた。

朝九時に銀閣寺《ぎんかくじ》道にある家賃六万円のワンルームを出て、歩いて出町柳《でまちやなぎ》の駅まで来る。

そこから叡山電車に乗り、終点の八瀬遊園で降りる。そして、観覧車に乗る。

谷間の、小さな観覧車だった。八瀬は洛北《らくほく》に位置するため、市内中心部よりは高いところにあるのだろうが、それでも川沿いなのでこの辺りでは一番土地が低い。そこからちっぽけな観覧車でてっぺんまで昇っても、見えるのは比叡山の山肌と、市街地の端っこ、スポーツバレーの全景、あとは空だけだった。眺望を楽しむための観覧車ではない。そこが遊園地であることを強調するためだけにあるような、質素な遊具だ。それでも、赤や青に塗り分けられた小さなゴンドラが、ぶらぶらと揺れながらゆっくりゆっくり回転するのを見ていると、あの箱に乗って空に浮かんだら、見たこともない光景が見られるかも知れないとふと想像したくなる……

だが、いくらそんな憧《あこが》れを抱いたとしても、三十になる独身の女が毎日毎日、たったひとりで観覧車に乗っている光景は、やはり異様だった。

白石和美は、二ケ月も前に会社を辞《や》めている。唯の調査した限りでは、何も仕事はせず収入もない。あのワンルームと八瀬遊園とを往復する以外には、ほとんど何もしないで生きていた。唯が尾行を始めてからこれまでに、三回スーパーマーケットで買い物をし、一回銀行で預金をおろした。それで全部だった。

和美がキャッシュボックスの脇に置かれたごみ箱にまるめて投げ入れた明細書では、預金の残高は六万三千六百二十七円。

和美が観覧車を降りた。そして、毎日そうしているように、スナック・コーナーの前に置かれたランチテーブルのそばのベンチに腰をおろした。

彼女は、昼食もほとんど食べなかった。一度だけ、フライドポテトを買って一袋食べ、二度ばかり自動販売機のコーヒーを飲んだ。この十五日間で、彼女が唯の目の前でものを食べたのはそれだけだ。

あとはただ、彼女は座っていた。

誰とも話をせず、黙ったまま。

スナック・コーナーでアルバイトをしている大学生にさり気なく訊《き》いてみたが、彼の憶えている限り、和美がそこで誰かと会ったりしていたことはないと言う。彼の記憶では、二月の終わり頃からずっと、彼女は、遊園地が休園しない限りはそこに座っていた。天気が悪くても彼女は必ずやって来て、観覧車にだけは乗るのだ。観覧車の係員が何度か彼女に話しかけて理由を訊いてみようとしたのだが、彼女は微笑《ほほえ》むだけで答えなかったらしい。遊園地で働く人々の間では、和美のことが噂《うわさ》になっていた。

だが、和美は気にしていないようだった。唯が彼女の尾行を始めてからも、和美がまったく辺りの人間には関心を示していないことがすぐにわかった。和美は、自分だけの世界の中で暮らし、ただ自分だけ、たったひとりぼっちで観覧車に乗っていたのだ。

その奇妙な行動の意味を深く追求することが、唯には怖かった。

白石和美は、明らかに「普通に生きること」を放棄していた。彼女は、たぶん、何かに絶望している……働きもせず、ただ毎日、遊園地の小さな観覧車に乗ってほんの数分の夢を見る。そして、あとはただ、黙って時が過ぎてゆくのを待っている。

だが、彼女はなぜ絶望したのだろう。

人は、どんな時に絶望する？

愛する者を失った時……背負いきれない罪を背負った時……あるいは、そのどちらも……

唯は、頬にあたった冷たい風に、ぶるっと身を震わせた。

「よお、探偵さん」

肩に手を置かれて、唯はビクッとして振り返った。

兵頭風太《ひょうどうふうた》。京都府警捜査一課の警部補。

唯の、大学の同期でもある。

安物のビジネススーツに羽織ったベージュのトレンチコート。背も高く横幅のある男だが、顔つきはどことといって際だった特徴もなく、刑事というよりは事務用機器のセールスマンか何かのように見える。だが、穏やかそうな目の真ん中にある瞳だけは、どこか鋭く光って見えた。唯と同い年の三十二歳。


「誰のお守《も》り？」

風太は言って、ニヤリとした。


どうして、一課がここにいるのだ！


ひとつの想像が湧き起こって、唯の胸を締めつけた。だが唯は平静を装《よそお》って見せた。風太は唯の身体を引き寄せるようにして、耳元で囁《ささや》いた。

「白石和美の尾行してんなら、依頼人の名前、教えてや」

「いや」唯は言った。

「守秘義務」

「場合が場合やからなぁ、屁理屈《へりくつ》は通らんで」

「屁理屈やない。法律で認められてるはずや。それより、なんであんた達がここにいるん？」

「それこそ捜査上の機密やがな。まあええ、ちょっと来て。ゆっくり話聞いたるがな、あったかいとこで」

「仕事中や。断るわ。どうしても言うなら、おフダ見せて」

「どあほ。おフダっちゅーのはそんなに簡単には貰《もら》えんのや。おまえら探偵なんかにいち出しとったら有難味がのうなる。ごちゃごちゃ言うとらんと来いって。あの女はどうせ夕方まであのまんまやないか。佐久間《さくま》に見張らせといたるがな」

風太は後ろにいた若い刑事を顎《あご》で示した。

「さ、早《はよ》して。俺は寒いのは好かんのや。昼飯ぐらい出したるしな」

「サツの飯なんか食いたない」

「おまえの払《は》ろた税金で出る飯やど。食わんと損やで」

唯は諦《あきら》めて喫《す》いかけの煙草を携帯用の灰皿に突っ込んで蓋《ふた》をし、風太の後ろについて八瀬遊園を出た。

遊園地のゲートを抜ける前に、唯は振り返って見た。

春らしい強い風に吹き上げられてくるくると舞う薄紅の花びらの渦の向こうに、白石和美はまだ、じっと座ったままでいた。

2

「公務員のくせに」

唯が言うと、風太は片目を瞑《つぶ》って見せた。

「チクるか」

風太は唯のグラスにもビールを注いだ。

「焼き肉ぐらいでごまかされないしね」

唯は言って、骨つきカルビをひっくり返した。肉の脂《あぶら》が炭火にあぶられて、ジュッと音をたてた。香ばしい匂いに唾《つば》が湧く。

「商売はどうや」

「たいしたことない。カツカツやわ」

「浮気調査ばっかりか」

「まあ、そんなとこ」

「おもろいか」

「別に」

「やめたらどうや」

唯は、箸《はし》を止めて風太を見た。

「やめてどうするん？　生きて行かれへん」

「なんぼでもあるやないか、仕事なんて」

「ないわ。世間が就職難で大騒ぎしてるの知らんの？　あんたら公務員みたいに、失敗さえやらかさなけりゃ定年まで安泰ってわけやないんよ、普通は」

風太は、グラスのビールを一気に空け、手酌《てじゃく》で二杯目を注いだ。

「そやけどなぁ……おまえも、そろそろふっきらんといかんのやないか。いつまでも引きずっとったら……」

「忘れろ、ってこと？」

唯が言うと、風太は困ったような顔をした。だが、目立たないくらい小さく頷《うなず》いた。

「……できへん」

唯は呟《つぶや》くように言って、肉片を口に放り込んだ。熱さで、目に涙がにじんだ。

忘れるなんて、できるものか。

唯は、肉を噛《か》みながら自分に言い聞かせた。

あの人のことを忘れるなんて、あたしにはできない。あの人を諦めるなんて。

あの人は帰って来るのだから。いつか、必ず帰って来るのだから……あの人が帰って来た時に、下澤《しもざわ》探偵事務所の看板がなかったら困るもの。だから、あたしは続けている。ひとりで、待っている。


唯の夫、下澤貴之《たかゆき》は三年前に失踪《しっそう》していた。貴之は私立探偵で、大学を出てすぐ信用調査会社に就職し、そのまま探偵一筋にやって来たベテランだった。四年前に唯と結婚した時、貴之は独立して事務所を持った。仕事は順調で、唯は幸せだった……あの日、突然に貴之が唯の前から姿を消してしまうまでは。

手掛かりは何もなかった。

警察の捜査も通り一遍で終わった。事件に巻き込まれたという証拠でもなければ、成人の「家出」として処理されるだけなのだ。だが唯は確信していた。貴之は、少なくとも計画的に失踪したのではない。唯を捨てたくて捨てたのではない！

失踪の前日、貴之は唯に言った。

誕生日のプレゼント、買ってあるよ。楽しみにしててな。

唯を捨てるつもりだったのなら、そんなことを言うわけはない。そう、唯は信じている。貴之は何らかの事件に巻き込まれたのだ。本当は、今だって、きっとどこかで、帰りたいと思っている……思っている！

「……おまえがあの人を待つのはええ。捜すのもええ。そやけど、探偵はやめ。下澤さんは俺にとっても剣道部の先輩や。留守の間に、おまえに何かあったら申し訳が立たん。おまえを危険に晒《さら》すわけには行かんのや」

「危険なことなんてしてへん」

「してるやないか！　おまえにだってとっくに見当はついとろうが。白石和美は……」

風太は言いかけて、辺りを気にして声を潜めた。

「……人殺しや」

「馬鹿！」

唯は言って、下を向いた。唯自身、そう思い始めていたところを風太に見すかされたのが悔《くや》しかった。

「証拠もないのに、刑事がそんなこと言うなんて……」

風太はごくりと音をたててビールを一口飲み、それから、低い声で言った。

「なら、遠藤祐介《えんどうゆうすけ》はどこにいるんや」

唯は下を向いたまま、消え入りそうな声で答えた。

「そんなこと、知らん」

「知らんでは仕事にはならんのとちゃうか。おまえ、遠藤の妻から依頼されたんやろ。千葉にいる遠藤の妻から、単身赴任先の京都から戻って来ない遠藤を捜してくれと依頼されたんやな。それで調べてみたら、遠藤は二月十五日以降無断欠勤や。さらに部下の白石和美と愛人関係だったという噂もある。だが白石和美は二月中頃で退社しとった。そして二月十四日の晩に遠藤が住んでいたマンションを白石和美が訪ねていた。管理人が言うとったで、二週間ほど前に髪の短い女が来て、おんなじこと訊いて行ったとな。おまえのことや。おまえは、白石和美が遠藤の失踪に関わっているとふんで和美の尾行を始めた。もしかしたら、妻のところに帰りたくなった遠藤が和美のところに転がり込んでるとでも思ったか？　だが、和美はあの調子だ……ありゃ、一体何の真似《まね》や？　毎日毎日、ガキでも乗らんような古ぼけた観覧車に乗って、三十女が何が楽しい？　あの女は……狂っとる。だとしたら、なんで狂った？　話は簡単や……遠藤に別れ話を持ち出された和美は、二月十四日の晩に遠藤のマンションを訪ねた、そして、別れたくないと喚《わめ》き、哭《な》き、あげくに……」

「証拠がない！」

唯は、テーブルを掌《てのひら》で叩いた。

「証拠が出るまでは、あんたがそんなこと言うたらあかん！　絶対にあかん！」

「静かにせい」

風太は言って、またビールを飲んだ。

「おまえが相手やから言うただけや。証拠は見つける。見つけたる。見つかるまでは、あの女に手は出さん。そやけど、見つけるにはおまえが邪魔や。いいか、あの女に同情するのは勝手やけどな、一人殺した人間は大胆になる。やけくそになるんや。甘くみたらあかんで。とにかくおまえは手をひけ。遠藤の女房には俺から連絡しとく」

「余計なことはせんといて」

唯は言って、自分のグラスのビールをむきになって飲み干した。

白石和美が遠藤祐介を殺したと、風太が完全に決めつけているのがなんとも腹立たしかった。なぜ腹立たしいのか、唯自身もよくわからない。唯にしたところで、この十五日間の和美の奇妙な毎日を観察していて半ばそう確信しかけていたのだ。

白石和美は確かに絶望している。

愛する者を失ったか、背負いきれない罪を背負ったか……あるいはその両方で。しかし、もし彼女が遠藤祐介を殺してしまったのだとしたら、彼女はなぜ、毎日観覧車に乗るのだ？　それは、思い出なのだろうか。祐介との愛の日々の中に、あの観覧車に思い出を残した一日があった。だから、彼女はそれを懐かしんで……いや……

あるいは、風太の言うとおり、彼女はもうまともではないのかも知れない。彼女は狂ってしまった。狂ってしまっているとしたら、彼女の行動に理由を求めても仕方ない。


だが……何かがひっかかる。

彼女は、たとえ常人には理解しがたい理由ではあっても、確かに何かの目的を持って毎日あの観覧車に乗っているという気がする。

なぜ、そんな気がするのか。


唯は、やっと気づいた。

白石和美は、毎日毎日、きちんと化粧をし、普段着というには少しだけ贅沢《ぜいたく》なお洒落《しゃれ》をして出かけていた。髪も整え、華やかな色のルージュをひき、踵《かかと》が華奢《きゃしゃ》なパンプスを履いて。それはまるで……日曜日に恋人とデートする時みたいな……


彼女は、遠藤祐介に逢《あ》いに行っていた！

唯は箸を置いた。

「……もし、本当に彼女が遠藤祐介を殺したんだとしたら……遺体をどうしたのだと思う……？」

唯が囁き声で訊くと、風太はじっと唯を見つめながら首を横に振った。

「わからん……。遠藤の部屋には血痕も、争った形跡もない。二月十四日の晩、確かに白石和美は遠藤の部屋を訪ねた。マンションの管理人が、白石和美をよう憶えとった。遠藤は十三日はいつも通り出勤しとる。十四日は、風邪気味で医者に行くと連絡を入れただけで欠勤した。白石和美は十四日はいつも通り出勤し、八時近くまで残業してから会社を出ている。彼女が遠藤を殺したとしたら、少なくとも二月十四日の晩以降や。だが、遠藤の部屋は四階や。エレベーターを使ったとしても、女の手ひとつで男の死体を外に運び出すのは難しいやろう。死体をバラバラにしたとか言うなら、部屋から血痕もルミノール反応も出ないのはおかしい。まず考えられるのは、十四日の夜、遠藤は和美と一緒にあのマンションを出て……殺されたのはどこか他の場所だって線やな」

「遺体もそこにあるかも知れない……？」

唯は、風太の瞳の奥にいる自分自身に問いかけるように囁いた。

「あるいは、な……あ、おまえ？」

風太も気づいて、立ち上がりかけた。

「そうか！　そうやったんか」

「まだわかんない。でも、他に彼女が毎日毎日あの観覧車に乗る理由がある？」

「いや、きっとそうや！　だが、どこなんか見当がつくか？」

唯は首を横に振り、紙ナプキンで口を拭《ぬぐ》った。

「遠藤のマンション、奥さんから鍵を預《あず》かっているの。とりあえず手がかりがあるかどうか、もう一度捜してみたい。邪魔せんといてくれる？」

「手伝《てつ》どうたる」

「いらん。どうせめぼしいもんが出たら警察に化けるつもりやんか」

「化ける、ってなんや。俺は警察やがな」

「そんなもん、仕事中に飲んでても？」

唯は空になったビール瓶を指さした。

3

遠藤祐介の住んでいたマンションは、岡崎《おかざき》公園の近くにあった。

唯は、そこに入るのは二度目だった。

二週間と少し前、千葉からわざわざやって来た遠藤の妻・冴子《さえこ》が唯の事務所を訪れて、そのマンションの合鍵を唯に預けた。依頼を引き受けた唯は、いの一番にここを調査した。だが、これといった手がかりは見つからなかったのだ。

部屋の中は、当たり前だが二週間前と何一つ変化してはいなかった。だが唯は、二週間前にここから出る時に玄関のドアの隙間に挟んでおいた「お留守番」が下に落ちているのに気づいた。「お留守番」というのは唯が密かにそう呼んでいる、厚紙を小さく切って作った、二センチ四方ほどのカードのようなものだった。こうしたマンションのドアに挟んで丁度いいように、貴之が作って愛用していた商売道具だ。部屋の中に変化がなくとも、その紙が下に落ちていれば誰かが部屋に入ったことがわかる。

唯は一瞬、遠藤祐介がこっそり戻って来たのではないかと思った。だが、すぐにさっき焼き肉をたべながら風太が言った言葉を思い出した。


遠藤の部屋には、血痕も争った形跡もなかった……ルミノール反応も出ていない。


警察は、とっくにこの部屋の家宅捜査を済ませている。それも、殺人事件のあった可能性を初めから考慮に入れて。

「令状もないくせに、家宅捜査なんかして」

唯は言ったが、風太は平然としていた。

「令状なら取ったで。殺人の容疑やないけどな。遠藤のカミさんが、千葉県警に祐介の家出人捜索願を出しとったんや。千葉からは正式に捜査依頼が来とるからな」

「遠藤の奥さんは、会社から無断欠勤の事実を知らされてすぐに捜索願を出したんよ。それなのに、警察はなーんにもしてくれなかったって言うてた。それで業を煮やしてあたしのとこに依頼に来たんやないの。今頃になって、なんで急に……それも、なんであんたら府警の一課がでしゃばって来たのよ。なんか、変やわ。あたしに隠してることがあるのと違う？」

「おまえに隠したら悪いんか。なんで探偵なんかに警察の情報を流さなあかんねん」

「いけず」

唯は、風太の向こう臑《ずね》を蹴った。

風太は、唯の襟首《えりくび》をつまんで仔猫《こねこ》を持ち上げるような仕草をした。

「人を頼るな。おまえの突っ込みが甘いから、大事な事実を見落とすんや。おまえも下澤さんのあげた看板を守り通す覚悟があるんなら、いつまでも素人臭い仕事やってんやない。とにかく、そこに座れ」

唯と風太はリビング・ソファに並んで腰をおろした。風太は、厳しい顔つきになった。

「ええか、遠藤祐介が失踪したのは二月十四日や。今日は何日や？」

「四月十三日」

「もう六十日近く経《た》つ。なのに、遠藤が勤めていた東城《とうじょう》建設は、俺達が捜査を始めるまでまるっきり知らん振りやった。普通なら、遠藤の妻が捜索願を出した時点で会社も何か手を打つなり、妻の冴子と一緒に遠藤を捜すなりするんやないのか？　それが、遠藤のことなんか気にもしていないっちゅう感じや。まるで、遠藤が消えてくれて都合がええ、と言わんばかりやった……実際、都合が良かったんや」

「どういうこと？」

「ここからはマル秘やで。府警が捜査しとる新藤《しんどう》組の恐喝事件に、東城建設が一枚咬《か》んどったんや。東城建設が一昨年南区に建てたマンションを購入した客数人が、手抜き工事の欠陥マンションだと、東城建設と販売した不動産会社を告訴した話は知ってるか？」

「新聞で読んだような気も……」

「そういうところが素人なんや、おまえは。自分の調査してる対象が新聞記事に出た会社やとわかったら、関連をきちんと調べんでどうする。ましておまえの引き受けたのは人間ひとりが消えたって事件なんやで。東城建設の本社は東京やが、今度東京湾沿いに都が計画している大規模な高層マンション団地の入札に名乗りをあげとる。東城建設としては、なんとしてでも落としたい仕事や。その入札を前に、もし手抜き工事で賠償でもさせられることになったらどうする？　東城建設としては、どんな手を使ってでも示談に持ち込んで告訴を取り下げさせたいところやった。そこで、なかなか示談に応じない奴への対処を新藤組に頼んだわけや。どうや、筋書きが読めたか？」

「じゃ、遠藤祐介はそれに関与して？」

「そう。遠藤のいた生活環境部ってのが、建設工事に伴う苦情の処理や補償金の交渉をするところやな。遠藤は補償課の課長補佐だったが、課長の鈴木《すずき》という男は直接の上司のくせに、俺達が遠藤のことを訊いても、何も知らないとぬかしやがったで。東城建設は府警の狙《ねら》いを察知して、遠藤の失踪をいいことに万一の場合は責任を全部遠藤に擦《なす》り付けるつもりなんや。府警の暴対課は、あらかじめ東城建設に狙いを定めて内偵を進めていた。そこで二月中旬から課長補佐が失踪している事実を摑《つか》み、最悪の場合を想定して俺達に協力を要請して来たってわけや」

「最悪の……場合……」

「よくあるやないか。死人に口無しってやっちゃ。何しろヤクザに民間人を脅迫させていたなんてことが表沙汰になったら、入札どころかほとんどのお役所関係から指名停止くらっちまうし、首脳陣が逮捕されるなんてことにでもなってみい、経営危機も招きかねん。遠藤をスケープゴートにして個人の不始末ってことで片づけられりゃ、一番傷が軽くて済む。常識的には遠藤に因果を含めて罪をおっかぶせるところやが、もし遠藤が自分一人が犠牲になるのを拒んだとしたらどうする？　遠藤が逮捕されてペラペラ喋ったらおしまいや。可哀想やがここはひとつ……ってなことになったんやないか、俺達も初めはそう考えた。だが、そこで白石和美の存在に気づき、方針変更したわけや」

唯は、座ったまま太腿《ふともも》に片肘《ひじ》をついて、掌に顎《あご》をのせた。

遠藤祐介には、その死を願う者達がいた。もし和美が遠藤を殺したのだとして、それはまったくの偶然だったのか？

唯は頭を振り、考えを整理した。

和美が本当に遠藤を殺したのだとしたら、何よりまず、遺体を発見することが先決だ。遺体がみつからなければ、結局「殺人事件」そのものが「なかったこと」になるのだ。いや、なかった可能性だって、ある！

遠藤祐介が、自分が生《い》け贄《にえ》にと望まれていることを知っていたとしたら？　彼はどうするだろう。黙って殺されるのを待ったりするだろうか？

逃げる可能性だってあるじゃないか。いや、それが一番自然だろう。遠藤祐介は、失踪を装ってどこかに逃げた……和美の助けによって。それなら、話はわかる。そうであってくれたら！

だが……観覧車が。

観覧車。

唯は立ち上がった。この前の時と違って、今度は何を探したらいいかわかっている。

唯はリビングの壁にそって置かれている大型の本棚の、一番下の開き戸を開けた。そこには、アルバムが何冊か入っている。唯は、それらのアルバムを苦労して全部抱え、テーブルの上に置いた。

「遠藤は、奥さんにここの合鍵を渡していたんで用心してたらしいの。この中には、白石和美の写真は一枚もない」

「だったら……」

「役には立つわ。和美が写っている必要はないんよ。和美がシャッターを押したんやとしたら、遠藤が一人で写ってる場所にも二人で行っていたことになるもの」

「誰がシャッターを押したのかなんか、わからんやろ」

「そうね、それはわからない。でも、仕事がらみじゃなさそうな写真を全部チェックすればいい……写真を撮った場所を特定できそうなやつをこのアルバムからみんな抜くのよ。そして場所を特定する。もしその中で、あの観覧車から見えるところにある場所がみつかれば……」

殺人があったとするならば。

白石和美は、毎日墓参りに来ていたのだ、あの観覧車に。あるいは、愛する男との究極の逢瀬を楽しむためにと言い換えてもいい。

もし、愛する男を殺すなら……殺して埋めてしまうなら……ほんの少しでも二人の思い出のあった場所に、と考えるのは不自然ではない。そして、その場所を毎日眺《なが》めていられれば、幸せだと感じても。

たいした根拠ではない。いわば、女の勘に過ぎない。だが、唯にはそう推測することが一番自然で和美らしいという気がしていた。

十五日間白石和美という女を見つめ続けて、唯は、彼女に少しずつ自分が同化して行くような錯覚に陥《おち》り始めていた。

唯自身、探偵という仕事を続けていることは、谷間の観覧車に乗り続けることなのだと感じている。唯は探偵が好きだからやっているのではなかった。特に自分が向いているとも思っていなかった。それはただ、貴之の思い出にしがみつき、貴之との日々にピリオドを打ちたくないがためのあがきのようなものなのだ。

谷間の小さな観覧車からは、山肌しか見えないかも知れない。乗り続けても、新しい光景は開けて来ない。空には確かに少しだけ近づくが、それもほんのいっときのこと。やがて観覧車は回り、空はまた遠ざかる。

あの小さなゴンドラの中で、空に近づき、また空から遠ざかる繰り返しを続ける和美もまた、愛した男との日々に終わりを記せずにあがいている、哀《かな》しい魂の持ち主だった。

「これは、どう？」

唯は、寺の名前が読みとれる門前に立って笑う祐介の写真を一枚剝《は》がした。

「円通寺《えんつうじ》やな。うん、岩倉《いわくら》にあるから八瀬から見えるかも知れん。こんなのもあるで」

遠藤祐介が、急な斜面に作られた幅の狭い石段の上で、笑っている。

「なにそれ、それじゃどこやかわか……あ、そうか、それ大文字の字のとこ！　右かな、左かな？」

「この形は如意《にょい》ヶ岳《たけ》の方や、銀閣寺の」

「あれやと、八瀬から見るには東に寄り過ぎてない？」

「観覧車から見てみんとわからんなぁ。とにかくそれも候補に入れよう」

唯と風太は、一枚ずつアルバムをめくり、丹念に写真を検討していった。

「あ、これ……」

唯は、一枚の写真に目をとめた。

まだ枯れ木も混じって、薄緑の新芽が杉や松の濃い緑の中で点々と美しい、山の中腹ぐらいを写した写真だった。写真の狙いは、山腹にほんのりと淡い色を添えている、満開の山桜にある。

「今頃の写真ね」

「そうやな……どこやろうなぁ」

「これだけじゃ見当がつかないわ。そやけど、きっと京都やわ」

「どうしてわかる？」

「どっかに旅行に行ったんなら、この写真の前後にももっと旅行の写真があるのが自然でしょ。なのにこの桜、一枚っきり。ほら、このページは、他には会社の飲み会か何かで写した写真が貼ってあるだけよ」

「でもなぁ、なんだってそんな桜の写真一枚、アルバムに貼ったりしたんやろ。女の子やったら花の写真も貼るかもわからんが」

「どうしてかな……でも、山桜って女性より男性に人気のある花だって、何かで読んだわ。葉が出てから咲くから、なんとなく地味な色になるでしょう。……この松の枝、ずいぶん立派だわ」

　山桜の花が取り囲むようにした中に、一本の赤松の木が立っていた。片方の枝が目立って横に張り出し、丁度、花の中に腕を差し入れたように見える。

「望遠でわざわざ撮ったんやなぁ」

「どうして望遠やってわかるの？」

「木の大きさを考えてみい。普通のレンズでこんな風に撮ろうと思ったら、よっぽど被写体に近づいて、しかも空中に浮かんで撮らないとならん。山の中腹にそんなに近づいたら、ヘリでも空中に浮かんでるのはつらい」

「じゃ、どこか離れたとこで、しかも高いところから撮った？」

「そうやな、最近のカメラは望遠もワンタッチで切り替えられるからな。そやけど、それにしても近いなぁ。よっぽど大きなレンズやないと、こんな風に撮れんと思うがな。さもなければ、山に近いところにあるビルの屋上なんかから撮ったか」

「そんなに大事な桜やったのかしら。よっぽど気に入ったとか……いずれにしても、これだけじゃどこにある桜の木なのか突き止めようがないわ。これはボツやね」

唯はそう言いながらも、山桜の写真をアルバムから剝がしていた。

地味な色合いに、それでも盛りの花をつけて山の急な斜面に立っている桜の木が女性なら、その桜に向かって枝を伸ばした松の木は、斜面をすべり落ちないように女を助けようとしている男のようにも見える。

妻がありながら単身赴任先で愛人をつくった遠藤という男が選んだにしては、その自然の構図は健気《けなげ》だった。

唯は、小さく溜息をついて、その写真を他の数枚の写真に重ねた。

4

午後四時半を過ぎていた。陽《ひ》が落ちるにはまだ時間があったが、風は冷たくなっている。花冷えの今頃は、夕方を過ぎると一気に気温が下がる。

八瀬遊園には、もう白石和美の姿はなかった。見張っているはずの佐久間もいない。和美はいつものように叡電に乗って出町柳に戻り、今頃は今出川《いまでがわ》通りを東に向かって歩いているところだろう。佐久間は、そんな和美の後をそろそろと車を動かしながら尾行しているに違いない。風太のポケットベルが鳴り出さない限りは、和美は昨日と同じ繰り返しを淡々とこなしているわけだ。

風太は三回分の切符を二人分買って、観覧車の係員に渡した。三回まわる間に目指す風景が見つからなければ、何回でもまわり続けるつもりだった。

唯は、途中で自分のマンションに寄って持って来た双眼鏡を胸に抱えていた。貴之が愛用していた、ドイツ製のごつい双眼鏡だ。普段の仕事にはポケットに入る折り畳み式のオペラグラスの方が重宝しているが、こんな時には性能の高い方がよかったし、それに、なんとはなしに貴之の匂いのする物と一緒にいたかった……もしかしたら、その双眼鏡が捉《とら》えるかも知れない光景の中に人がひとり殺されて埋められていると思うと、無性に不安だったのだ。

ゴンドラは、とても小さくて、揺れた。ゆっくりゆっくりと上へあがって行くにつれて、目に見える景色も変化していく。初めは遊園地の中の建物しか目に入らなかったが、次第に遠くへ視線が届くようになった。比叡山に昇るケーブルの細い線路が、山肌を這《は》い昇っている。意外だったのは、比叡山の山頂がまったく見えないことだった。丁度、迫《せ》り出した山腹の真下に八瀬遊園が位置するために、観覧車のてっぺんに登っても、山腹が視界に覆い被さってしまうのだ。まるで巨大な壁のように、山肌が迫っていた。

ゴンドラがあがり出すと、すぐに遊園地の隣のプールが見えて来る。そして、そのプールの遥《はる》か向こうに市街地の混み合った建物が見えだした。風太の膝の上には市内の地図が広げられ、そこには何個かの赤丸が付けられていた。写真から場所が特定できたところに風太が付けた印だ。東西南北を間違う気遣《きづか》いはなかった。比叡山が、すべての位置を決めてくれる。

「円通寺……駄目か。岩倉は全然見えないなぁ。丁度山にぶつかる」

「本当に、八瀬って谷なのね。思っていたより、ずっと視界が狭いわ」

「ここからだと、やっぱりたいした景色は見えんな。大文字も……東に寄り過ぎてる」

「ほんまに、なんにも見えない観覧車なんやね……白石和美は、何を見てたんやろう、毎日、毎日……」

「なんにも見てなかったんかも知れんな。遠藤を殺して埋めた場所を見ていたいうのは、考え過ぎなんかも知れん。もっと単純に、二人でここで遊んだ思い出を懐かしんでただけとちゃうやろか」

唯は、ゴンドラの透明な窓を通して真下に広がる遊園地の光景に目を落とした。

そうなのかも知れない。

和美が見ていたのは、まさにこの遊園地そのものだったのかも知れない。

二人で遊んだ思い出に、語りかけていただけなのかも知れない……

遊園地の中には、もちろん、遠藤の遺体を隠しておけるようなスペースは見当たらなかった。仮に鍵のかかっている遊園地に深夜忍び込むことが可能だったとしても、地面を掘ったりした形跡があれば必ず発見されてしまっただろう。規模は小さいとは言え、スポーツ施設やプールまで備えたレジャーランドだ、毎日の清掃と点検に怠《おこた》りはない筈《はず》だ。

「やっぱり、荒唐無稽《こうとうむけい》やったんやろか」

唯は呟《つぶや》いた。

白石和美はやはり精神に異常を来《きた》しているのだ。楽しかった二人の思い出だけが彼女の頭の中をくるくると回り続け、彼女はその思い出を楽しむために、ほとんど無意識にここに来るのかも知れない……


「悪い発想とは思わんかったがな。ただ、和美が遠藤を殺したのは二人の思い出の場所やいうのが考えすぎなんかも知れん。たまたま和美が土地勘のあるところで、都合のええところがあった可能性もある。そやからここから見える光景のどこかが俺達の推理通りに殺人現場なのだとしても、遠藤の写真をそこで撮ったとは限らないわけや。第一、デートのたびにカメラを持って行ったわけでもないやろうしなあ……」

風太は、遠藤のアルバムから剝がして来た数枚の写真を見ていた。

ゴンドラはゆっくりと地面に近づく。だが、三回分の切符を受け取っている係員は動こうとはしない。ゴンドラはまた地面を離れ、二回目の旅に出た。

「あっ！」

突然、風太が短い叫び声をあげた。

「どうしたの？」

「この写真……」

風太はあの山桜の写真を唯に突き出した。

「変や思ってたんや。さっきも言ったように、こんな風に山の斜面の木を撮影しようとしたら、地面から撮ったんでは無理や。この写真は下から見上げた写真やない。それでいて、この大きさに撮れてるってことはそんなに離れたところから撮ったわけでもないやろう。性能のいい望遠レンズを使えば撮れないこともないが、このピントの甘さは多分一眼レフやない。誰でも撮れるシャッターを押すだけの簡単なカメラやと思う。それやとズームの使えるやつでも三百メートルくらいが限度の筈や。だとしたら、被写体の山にごく近いところの、しかも地面からかなり高いところから撮影したことになる……例えば山の際に建てられたビルの屋上とか……」


唯も気づいて、息を呑み込んだ。

この山桜は、ここから撮られたのだ！

「探せ、探すんや！」

風太が言うより早く、唯は双眼鏡を覗《のぞ》きながら頭を必死に回した。だが、それでは駄目なことに気づいた。写真と同じ光景だと確認するには、一部だけ拡大して眺めていてもわからない。全体の構図を把握《はあく》することが必要なのだ。唯は双眼鏡を下ろし、自分の目で山桜の木を探した。

ゴンドラの動きがあまりゆっくりでもどかしい。

少しずつ広くなって行く視界の中で、唯は懸命に、写真と同じ配列の木々を探し求めた。横に枝を張り出した松の大木。その松に寄り添い、あるいは取り囲むように花をつけた山桜。

比叡山の中腹、東山《ひがしやま》連峰の端の峰、宝《たから》ケ池《いけ》を囲む山……

八瀬は桜の名所だった。

そこここに、数種類の桜の木が、散り始めた花びらを振りまきながらゆく春を謳《うた》っている。だが、唯が求めているのは、絢爛豪華に花を咲かせた栽培種の桜ではなかった。小豆《あずき》色の新芽を花と同時に芽吹かせた、質素で密やかな野生の木だ。

気の早い新緑を身にまとい始めた洛北《らくほく》の山の木立の中、点々とその姿はあった。里の花より少し遅れて春を装うその花は、実に、今が盛りだった。

動いている箱の中からその一点一点を確かめる作業は、思いの外、骨が折れる。とうとう、二回目の回転も降《くだ》りになり、やがて三回転目に入った。

唯と風太は無言のまま、人混みの中で迷子の子供を捜すように、全神経を集中させて景色を追った。

緊張を引き裂いて、突然ポケットベルの音がした。

風太は舌打ちをし、ゴンドラを開けようとする。だが、すでに飛び降りられる高さよりもゴンドラは上にいた。

「まさか、白石和美に何か……」

風太が言いかけた時、唯が叫び声を挙げた。

「あれよ!」

唯が指さしたのは、比叡山の北よりの稜線に近い中腹だった。

あれだ、間違いない。

そこには確かに、松の大木と、山桜が並んで立っている。

だが……何かがおかしい。

何かが少し違う。何が違うのだろう?

唯はもう一度写真を見た。ズームを使ったらしい写真の構図は、唯が肉眼で見ているものよりずっと近い。それでも唯の目の先にある光景は、確かにその写真の縮小版である筈だ。だが、どこかに構図の間違いがある。

そうだ、松だ！

桜の花の中に手を差し伸べるように張り出した赤松の枝の形が、なんとなくおかしいのだ。写真の枝は美しく横に伸びてほとんど真っ直《す》ぐなのに、唯の目が捉えた枝には、何かコブのようなものがだらしなく下にぶら下がっているように見える……

唯の心臓がけたたましく早鐘を打ち出した。座ったままの膝が揺れる。双眼鏡を掴んだ両手も、無意識に激しく震えだした。それでも唯は、両肘に渾身の力を込めて震えを押さえつけ、双眼鏡を目に当てた。

唯の喉《のど》から、悲鳴が漏《も》れた。

貴之の愛用したドイツ製の双眼鏡のレンズの向こうに唯が見たものは、満開の花を風に揺らしている山桜のただ中で、松の枝の先から無造作《むぞうさ》にぶら下がっている、人間の首吊り死体だった。

＊

ゴンドラが地上に着くのを待ちきれずに飛び降りて公衆電話に突進して行った風太が、真っ青な顔で唯を呼んだ時も、唯はまだ観覧車の下に立って放心していた。

風太は次々と電話で部下に指示を与え、それから唯の腕を引っ張って遊園地の外に連れ出した。

「白石和美が車にはねられた」

風太はそれだけ言って、タクシーの後部座席に唯を押し込んだ。

唯は、その報告にもさほどの驚きは感じなかった。あの松の木にぶら下がった首吊り死体を見た瞬間に、唯には和美の考えていたことがすべて理解できた気がした。

それは、静かでそして長い、通夜だった。

白石和美は二月十四日の夜、遠藤祐介が自殺するつもりで姿を消したことを知った。たぶん、和美に宛てた遺書でもあったのだろう。和美は、祐介がどこで死ぬつもりかも知っていたのだ。一年前の山桜の季節に、二人は観覧車に乗り、あの桜と松を見つけた。祐介は、桜に手を差し伸べた松の姿が気に入ったのかも知れない。持っていたカメラで写真を撮った。そして、その後も時々アルバムを見ては、和美と話していたに違いない。

死ぬときには、あんな山桜の花吹雪の中で死にたいと……

和美はおそらく翌日の十五日に、あの観覧車から遠藤祐介の遺体を見つけた。

そして、考えたのだ。

今はあまりに淋しい。

山は枯れ木ばかりだ。

せめて山桜の花びらがその頰にかかるまで、祐介の体が焼かれてしまうのを待ってやりたい……花吹雪の中にいる祐介の姿を見送ってから、私も後を追うのだ、と。

誰も踏み込まない雑木の山肌。

和美は、たった一人で毎日観覧車から祐介を眺め、六十日に及んだ長い通夜を過ごしていたのだ。だが彼女は決して、嘆き悲しんではいなかっただろう。彼女は喪服を着なかった。愛する男と二人で過ごした幸福な休日そのままに、和美は女らしく装って観覧車に乗った。腐敗してゆく祐介の肉体には、和美はもう興味はなかったのだ。

そこにあの人がいる。

愛した人がいる。

あの人は、もう、あたしだけのもの。

山桜の花が開くまで、あたしとあの人とは、この空の下に、ふたりきり。


唯はふと思い出した。

和美が銀行のごみ箱に投げ捨てたキャッシュカードの明細書。預金残高六万……三千六百二十七円。

もし、和美の住んでいるマンションの家賃が先月末に引きおとされているとしたら……

和美には、もうすでに生きて行くのに必要な金すら残ってはいないのだろう。


彼女には、もう何も残っていない。

風が花吹雪を舞わせ、春はゆき、通夜の夜は明けた。


和美は、刑事の尾行を知っていて、わざと振り切って車の前に身を投げたのだ。

「重体らしい……助からんやろう」

風太は言って、深く、深く息を吐いた。

「遠藤は、自分がのっぴきならない立場に追い込まれたことを知った。暴対課が東城建設を告発すれば、自分が責任を被せられて刑務所行きなのは目に見えとる。だが、警察の取り調べを受けて会社を庇《かば》いきる自信が奴にはなかったんやな……会社のために罪を被って死ねば、残された妻や子供の面倒は会社がみてくれると思ったのかも知れん。哀れな発想や……今時、流行《はや》らんのになぁ」

病院に急ぐタクシーの窓ガラスに、雨の粒があたり出した。

この雨で、名残《なご》りの桜も散るだろう。

残りの春もゆくだろう。

「自殺やったなんて……」

唯は、涙が頰を伝う熱さを感じていた。

「遠藤の奥さんが言ったの。主人は自分から失踪したのではない、何かのトラブルに巻き込まれたんだって。どうしてやと思う？」

「……わからんな」

「あの日は、バレンタインやったでしょう？　前の日に、奥さんは電話で遠藤祐介と話した。五歳になる娘さんが、お父さんのためにチョコレートのクッキーを焼いたのね、それを送りますって。そしたら遠藤が言ったんですって……今週の金曜には家に戻るから、送らなくてもいいよ、家でゆっくり食べるからって……だから、奥さんは信じていた。遠藤は必ず、金曜には戻るつもりでいたんだと。自分と子供の待つ家に、帰って来るつもりでいたんだと……なのに、なのに……」


唯は、両手で顔を覆った。嗚咽《おえつ》が、静かな車内に切れ切れに流れる。

あたしも信じていた。

貴之は、自分から望んであたしを捨てたのではないと。

誕生日のプレゼントを楽しみにしていて、と彼は言った！

だが。

男は、嘘《うそ》をつくのだ。

決してついてはならない、嘘を。

雨に濡れてすっかり色の抜けた白い花びらが、どこからか運ばれて来て窓ガラスに貼り付いた。

唯の瞳の中で、花びらが静かに流れて、消えていった。

約束のかけら

1

神保桂子《じんぼけいこ》は文庫本から目を上げ、そっと公園の外の通りに目をやった。丁度そこに通りかかったグレーのセダンが、まるで今思いついたというように唐突に公園に寄せて停車した。桂子は静かに本を閉じて立ち上がると、何気ない様子で公園を出る。だが十分ほど前に彼女がやって来た商店街の方向には歩かずに、公園の車止めの柵を通り抜けた途端に早足になり、あっという間もなく停まっていたセダンの助手席に乗り込んだ。セダンは間髪《かんはつ》を入れずに走り出す。

唯は、小さく溜息をつくと尾行用にリースしている白いサニーバンのエンジンをスタートさせた。行く先の見当はついていたし、前を行くグレーのセダンは、地味な形だが何しろベンツだ、車にはあまり詳しくない唯でも、そのマークを見失う心配はまずなかった。ベンツは玄琢《げんたく》の坂の多い住宅地を抜け、北大路《きたおおじ》通りに出ると東に方向を変える。唯の睨《にら》んだ通り、二人はまた、例のラブホテルに向かうらしい。

三月が始まっても、空はまだ頑固に冬の寒さを残していた。古都の厳しい冬はなかなか終わらない。だがそれもあと数日のことだろう。通り過ぎる住宅の庭先に、桃の花の鮮《あざ》やかな緋色《ひいろ》が満開になっているのがちらちらと目に入る。弥生《やよい》三月は雛《ひな》の月、古都では今月いっぱい、雛飾りをしまわない家も多い。

そう言えば神保桂子は、雛人形のような面立《おもだ》ちをしている、と、ふと唯は思った。色が不思議なほど白く鼻筋が通り、しもぶくれ気味の頬にわずかに素朴な朱《あけ》がさして、唇はぽってりと厚く赤い。だが目だけは雛人形のような極端な切れ長ということもなくて、あどけない丸い形だった。女の目から見ても魅力のある顔だと思う。だが、どこか京都の風情《ふぜい》とは折り合わないものを感じるのは、神保桂子が秋田の出身であるという先入観があるせいだろうか。

神保桂子の経歴は、取り立てて珍しいものでもない。秋田の県立高校を出て東京の私大に入学し、クラブの先輩だった神保功《つとむ》と恋愛した。神保功は京都の出身で、大学を出てから地元に戻って役所に勤めた。桂子は卒業後も東京でOLをしていたが、三年の遠距離恋愛を経て二人は結婚し、桂子は京都にやって来て専業主婦となった。

どこにでもいくらでも転がっている、ありふれた女性の経歴だ。そしてまた……唯が今、神保桂子と関わり合っているその理由も、ごくごくありふれたものだった。

浮気調査。唯の私立探偵としての収入の大半は、この手の調査に頼っている。

唯自身は、他人の秘め事を覗くという仕事の好き嫌いは、もう考えないようになっていた。浮気という行為そのものの是非にはほとんど無関心になっていたと言ってもいいかも知れない。唯がこの仕事を失踪した夫・貴之から引き継ぐ形で始めてから学んだ教訓はただひとつ、人の心は鎖でつなげない、それだけだった。

　ベンツは白川《しらかわ》通りを下がり、御蔭《みかげ》通りとの交差点で山中《やまなか》越えに入る。唯もハンドルを切って山道に入った。山中越えは、盆地である京都市内から滋賀県に脱出するルートのひとつで、比叡山《ひえいざん》の中腹を抜ける山越え道だ。ところどころ広くはなるものの、ほとんどは片側一車線、カーブが多く、その割には交通量も多いので事故が多発する。だが大津《おおつ》市から京都市内北部に入るにはもっとも便利だし、道の途中に比叡平《ひえいだいら》という新興住宅地があったり比叡山に登る観光道路とつながっていたりするので、一日中車が途切れることがない。しかも慣れて通っているドライバーが多いせいか、どの車も結構スピードを出している。唯は正直なところ、この道が苦手だった。

　神保桂子の乗った右ハンドルのベンツは、車の性能がいいこととドライバーが慣れていることがあってか、快調なスピードでぐんぐんと登って行く。めいっぱいアクセルを踏んでも少しずつ離されてしまう。

　だが、唯は別に焦《あせ》りもしなかった。ベンツの行く先はわかっていた。この道を滋賀県側に降りきったところにあるラブホテルだ。

＊

た。　神保桂子の夫・功の母親と名乗る女性から調査の依頼があったのは二月の半ば過ぎだっ
姑《しゅうとめ》が嫁の浮気を調査するというのはさすがに、唯にも多少不快に感じられた。だが
もちろん、感情の問題とビジネスとは別だ。第一、唯が不快に感じるのは唯自身が姑の立場より嫁の立場に近いからであって、それ以外の正当な理由などはない。功の母親、登喜子《とき こ》は、六十に手が届いたところで身だしなみもよく服装のセンスも悪くない女性だった。その時代の女性にしては背が高く、押し出しのきいたりっぱな体格で、きびきびした態度と短くカットされた髪型が、若々しい印象を与えている。だが嫁の桂子の話になると彼女の唇には刺々《とげとげ》しい言葉が次々と浮かび、その瞳の奥には憎悪にも似た毒があった。

「ほんまに腹が立ちます」

登喜子はハンカチを指が白くなるほど握りしめたまま言った。

「功はあの女にすっかり騙《だま》されとりまして、私がいくら言っても信じようとはしません。母さんの見間違えやと言うばかりでして。けど見間違えなんかではないんです、私は確かにこの目で、あのホテルから出て来る車に桂子が乗っとるのを見たんです！」

登喜子は、地元の新聞社が主催した滋賀県坂本《さかもと》の料亭で開かれた雪見の宴《うたげ》とかいう催《もよお》しに友人と参加し、京都に戻る観光バスに乗っていて、桂子が男の車でラブホテルから出て来るところを偶然目撃したのだと言う。

唯は最初、登喜子の目撃談はあてにならないと感じていた。嫁憎しの気持ちがつい、ラ

ブホテルから出て来た車に乗っていた女を神保桂子だと思わせただけの錯覚だろうと思ったのだ。だが唯が調査して桂子に浮気の事実はないと証明したところで、登喜子は自分の見た女が桂子ではないとは認めないだろう。唯の調査能力を疑って、また別の業者に依頼に出向くだけのことだ。不毛な調査になりそうで、唯は気が滅入った。そのくせ登喜子の依頼を断れるほど、下澤探偵事務所の業績に余裕があるわけではない。正直なところ、毎月の事務所の家賃と唯の生活費だけでもぎりぎりだったのだ。浮気調査は尾行が中心になるので、料金は決して安くない。骨は折れるが収入の割合としては良い方なのだ。

唯は、鬱々《うつうつ》とした気分になりながら登喜子の依頼を引き受けた。

2

ベンツは急なカーブを下り終えたところで減速した。すぐに左手にラブホテルの看板が見えて来る。ベンツはほとんど停まらずに左折してホテルの中に消えた。唯はそのままホテルをやり過ごし、調査の最初に見当を付けておいた、ホテルとは道路を隔《へだ》てた斜向《はすむ》かいの位置にある工事現場の端にバンを乗り入れた。白い業務用のバンはこういう時に便利だ。工事現場にあっても商店街にあっても違和感がない。唯はビデオカメラを構え、ホテルの車両用出口に下がっているゴムでできた巨大な暖簾《のれん》のような「目隠し」にズームを合わせた。

このホテルに来るのは二度目。

神保登喜子からの依頼を受けて、唯はすぐに神保桂子の尾行を開始した。そして仕事を始めて五日目に、桂子がさっきと同じようにしてグレーのベンツに乗り込むのを目撃した。だがあいにくとその日は小雪が降っていた。市内での尾行は問題なかったのだが、唯のリースしているバンはノーマルタイヤだったため、雪の山道をチェーンなしで走行するのは危険過ぎた。ベンツが山中越えに入るのを見届けて唯は尾行を中止した。桂子の乗った車の行き先が、登喜子が最初に桂子の姿を目撃した滋賀県側のラブホテルだろうということは見当がついた。どこかでチェーンを装着してから二人を追いかけ、ホテルから出てくるところを写真に撮ることは可能だろう。だが天候を考えると、ひっきりなしに雪が降りかかる中での隠し撮りではたして浮気の証拠と成りうるような鮮明な写真が撮れるかどうか、唯は自信がなかった。無理をすることはない、登喜子の話が本当だとしたら、桂子は浮気相手と頻繁に会っているのだ。そしてどうやら、唯としては内心残念なことに、登喜子の話は嫁憎さの錯覚などではないようだった。桂子が浮気相手の車に乗ってラブホテルに入る決定的な証拠写真は、天気のいい日にでも撮るチャンスはあるだろう。唯はベンツのナンバーを控え、その日は事務所に戻った。

車のナンバーを陸運局で調べると、浮気相手の身元はすぐに割れた。佐田《さた》慎一郎《しんいちろう》。三十四になる桂子より更に一回りも年上で妻子持ちの、市内で工務店を営む小金持ちだった。

佐田の周囲の聞き込みに唯は二日ほどかけた。佐田の経営する工務店の女子事務員は、一万ばかりの謝礼金と『マールブランシュ』のケーキと紅茶一杯で、佐田の女関係につい て気軽に話してくれた。佐田には新しい女ができると吹聴《ふいちょう》する品のない癖があるらしい。佐田もひところのバブル絶頂期には毎晩のように祇園《ぎおん》のスナックで気勢をあげていたらしいが、バブルが弾《はじ》けてからは遊びもおとなしくなり、金遣いも常識的になったという。だが女好きは生来《せいらい》のものらしく、今ではあまり金のかからない素人の主婦相手のテレクラ遊びにのめり込んでいるフシがある。その従業員の話ではここ一年ほどはつき合う女はみな素人の人妻だという。佐田という男は特に美男子というわけではなかったが、いつもパリッとしたスーツを着てサングラスをかけたその姿は、どことなく芸能人風に見えないこともない。暇と退屈を持て余し、夫との関係に倦怠《けんたい》をおぼえた人妻にとっては佐田のような少し崩れた感じの男が魅力的に思えるのかも知れない。

女子従業員の話では、佐田が逢引《あいび》きに使うラブホテルはたいてい決まっているとのことだった。それも、一人の女とはひとつのホテルだけで逢い、女が変わるとホテルも変えるのだという。

唯は、依頼人の望む「決定的証拠写真」を撮るために作戦を立てることにして、問題のラブホテルに下調べに行ってみた。

雪が降っていなくても、二月の山中越えは油断のならない道だった。気温が下がれば路面が凍結してしまう。午後の、比較的気温の高い時間を選んで唯は山中越えに入った。問題のホテルは、比叡山ドライブウェイへの料金所を過ぎて更に滋賀県側に進んだ左側にあった。そのあたりの道は急カーブの連続でしかもずっと下りだった。身を隠してゆっくりカメラを構えられそうなポイントはない。ホテルの出入口にはゴム製の大きな暖簾のような「目隠し」が下がっていて、その外側に立っていれば出てくる車の運転手から丸見えだし、内側に入り込めば防犯カメラでホテルの従業員に見つかってしまうだろう。唯はホテルの斜向かいにある小さな工事現場に目を付けた。そこからなら、身を隠してホテルの出入口を撮影することもできるかも知れない。だが実際に工事現場に立ってみて、距離が遠すぎると感じた。ここからホテルから出てくる車の内部を狙《ねら》うとしたら、よほど大きな望遠レンズを使わないと難しいだろう。唯は自分のカメラ技術には自信がなかった。使い慣れない望遠レンズで、しかも動いている自動車の内部の人間の顔が鮮明に写るように撮影することなどできそうもない。だが顔がはっきり写っていなければ意味がないのだ。少なくとも、助手席に乗っている桂子の顔だけでも鮮明でなければ、登喜子の望む決定打にはならないだろう。あのベンツは右ハンドルで、この位置からでは運転席の佐田の顔までは捉《と》えることは困難だろうが、佐田の顔は別の時に単独で写しておけばいい。

唯は、ビデオを使うことに決めた。ビデオなら、普通の家庭用のものでも相当な距離のズーム撮影が可能で、しかも連続映像なのでシャッターチャンスほど一瞬の勝負にかけなくても済む。パソコンを使って映像を取込み、桂子の顔ができるだけはっきりと映っているシーンを静止画像のデータとして切り取って、若干の補整を加えてやれば完璧だろう。

唯は事務所に戻り、翌日からまた桂子の尾行に専念した。

そして今日、桂子はまたベンツに乗った。

それにしても、と唯は思う。

神保桂子は少しおおらか過ぎる。

週に何度もわざわざ自宅近くの公園に車で迎えに来させて、おまけに毎回同じラブホテルを使っての浮気である。その態度には、どこか開き直ったものが感じられる。もしかしたら神保桂子は、離婚を覚悟の上で情事を楽しんでいるのかも知れない。

しかし不思議なのは、桂子が離婚を望んだとしても、それが浮気相手との再婚を意識したものではあり得ないという点だった。

桂子がいかに世間知らずの主婦であっても、佐田のような男が妻子と離婚して自分と一緒になってくれるだろうと考えるほど甘くはないだろう。佐田にしても、相手が浮気と割り切っているからこそ安心して遊んでいるのである。独身女性を騙して遊ぶように結婚を餌にするとは思えない。

考えられることはひとつ。神保桂子が夫の功に愛想を尽かして別れたいと考えている、だがそのきっかけが摑めず、半ば開き直って浮気に走っているというケースだけだ。

もしそうなら、桂子の望みはじきに叶《かな》うことになる。唯がこれから撮る写真は、桂子を離縁する材料として神保登喜子の手に渡ることになるのだから。

唯はカメラの位置をだいたい決めると、ステンレスポットに用意して来たホットコーヒーをカップに注いだ。

ビデオカメラとパソコン。この方面は唯にはまるで知識がなかったが、唯の親友であり保護者でもある京都府警の刑事・兵頭風太が、このところすっかりパソコンに凝ってい て、あれこれと唯にアドバイスしてくれていた。失踪した夫・貴之が現役の私立探偵として活躍していたほんの数年前には、そうした設備を一式整えるだけでも大層な資金が必要だったのだ。だが今は、アルバイトの女の子のひと月分の給料で、浮気調査に役に立ちそうなハイテク技術の導入が可能になった。

探偵稼業も年々様変わりしていく。

ただ変わらないのは、探偵に調査を頼もうと考える人々の、焦燥だけだ、と唯は思った。

3

「おおきに、おおきに。これで長い間うっとうしかった小骨が喉から取れるというもんですわ」

神保登喜子は、唯がさし出した印刷されたビデオ画像の一部を眺めて、満足しきった笑みを見せた。気に入らない嫁は、姑にとっては喉に刺さった小骨というわけだ。

「こちらが調査報告書、それからこれがその写真の元になったビデオテープです。マスターテープはこれだけで私の方ではコピーはとっておりませんので、保管には注意して下さいね。念のため、ご自分でコピーをとられた方がよろしいかと思います。写真のネガと違《ちご》うて、上から録画してしまえば消えてしまいますから」

神保登喜子は頷《うなず》いていたが、唯の言葉をきちんと聞いているようには思えなかった。画像のコピーを眺めて、一人でニヤニヤしているばかりだ。だが唯は、しつこく注意を喚起するのはやめにした。そのテープが元でこれから繰り広げられるだろう家庭騒動を想像すると、いろいろと考えるのが面倒な気がしたのだ。登喜子がテープを駄目にするならそれもいい、とさえ密かに思った。

「ほんまにもう、ここ数年は腹の立つことばっかりで、なんでこの歳《とし》になってこんな思いをせなあかんのか思うたら、情けのうて情けのうて。功の父親が早《はよ》うに癌《がん》で死んでから、わたしひとりで必死に働いてやっと育てた息子ですねん、それがなんの苦労もせんと横からひょいとやって来た嫁に、いいようにあしらわれて……おたくさんはまだ若いからおわかりにならんとは思いますけど、わたしらの時代には女がひとりで子供を育てるゆうのはそりゃもう大変どした、わたしなんか学もないしこれといって手に職も持ってません、女だてらに荷物を運搬するトラックまで運転してましたんやで。女の盛りにも綺麗な服ひとつ着られず、真っ黒になって働きました。今の奥さん連中みたいにやれカルチャーなんとかやテニスや、趣味なんかに使うお金も時間もありませんでしたわ。この歳になってようやく、小唄をちょっと習い始めたくらいなんです。わたしのたったひとつの楽しみですわ。そんな苦労も知らんとほんまにあの嫁はもう……」

登喜子の愚痴は放っておけばいつまでも続きそうだったので、唯は急いで請求書を登喜子に渡した。

「お支払いは現金でも振り込みでも結構ですが、お振り込みいただいた場合には領収書は省略させていただきますので控えをおなくしになりませんよう」

登喜子は振り込みなんてケチ臭いと笑いながら、手の切れるような新札で調査料を支払い、上機嫌で事務所を出て行った。

唯は溜息とともに、十数枚の札を金庫へとしまった。

「すんません、わたし、気をつけていたつもりやったんですけど、ついうっかりあのビデオを出しっぱなしにしておいて、なんや他のビデオとわからんようになってしもて。それでテレビを録画しようとして間違《まちご》うて半分ほど消してしもうたようなんですわ」

＊

数日後、神保登喜子からそういって電話が掛かった時、半ば予期していたことではあったが、それでも唯は登喜子のだらしなさに呆れた。積年の恨みを晴らす決定的な証拠のビデオを出しっぱなしにするというような無神経さが、そもそも桂子と折り合わない要因ではないのか？　だがそこは商売、自分の軽蔑《けいべつ》を相手に悟られないように慎重に言った。

「残念ですけれど、前にも念押しさせていただいたようにコピーはとっていないんです。契約が無事に終了した時点で個人のプライバシーに関わるそうした資料はすべて依頼人にお渡しし、控えは破棄するのがうちの事務所の方針ですから。調査内容についてはもう桂子さんにはお話しになりました？」

「いいえ、桂子にはまだ黙っとります。最後の切り札にしようと思てますんで」

「それならば、桂子さんはあなたがあのことに気づかれたとは思ってらっしゃいませんね？」

「夢にも知らないでおりますわ。性懲《しょうこ》りもなく、今日もデパートの絵画展を鑑賞しに行くなんて言うてます。絵画展やなんて、ようもぬけぬけと嘘がつけたもんや。またあの男とホテルで逢引きするに決まってますがな……」

「わかりました」唯はスケジュール表を確認しながら言った。「今日これからでしたら、こちらも時間が取れます。この前と同じようにビデオに撮影しますので、追加料金をいただくことになりますけど」

「いくらでも払います。今度はもうテープを無駄にしたりしませんし、よろしくお願いします。ああそうや、今度は桂子があの男の車に乗り込むところと車から降りるところも撮影しといて貰えませんやろか。できたら、日付と時間も入れてもろうて」

「それは構いませんけど。桂子さんは何時頃にデパートに行くと言っておられました？」

「二時半に待ち合わせとか言うとりました」

唯は時計を見た。

「時間がありませんね。では、これから仕度しますので。また撮影が終わったら連絡いたします」

唯は電話を切り、ビデオカメラに新しいテープをセットしてナップザックに放り込み、事務所を出た。

例の公園に先回りして待っていると、神保桂子が心持ち早足で歩いて来た。いつものように取り立てて目立たない地味な服装とわずかに唇を染めた程度の薄化粧だったが、雛人形のような桂子の顔は遠目にも美しいと感じられた。

夫を裏切って情事を行なうことが適度な刺激となって桂子をより魅力的にしているのだろうか。自分より年上なのにどこかあでやかで女の盛りを感じさせる桂子に、唯は微《かす》かに嫉妬すら感じていた。

ベンツが滑るように公園に近づいて来る。桂子は待ちきれないとでも言うように踊るような足どりでドアに駆け寄る。唯は、すべり台の陰に隠れてカメラを向けた。ズームした画面の中に、嬉しそうに微笑む桂子の顔が大きく写り込む。

その時、キラッと何かが光った。


なんだろう?


だが確かめる間もなく、ドアの中に桂子の姿は消え、車は滑り出した。唯はカメラをしまい、停めてあったバンに乗り込む。焦る必要はない、どうせ行く先はまたあのホテルだ。

渋滞もなく、グレーのベンツと白いサニーバンは山中越えに入ってカーブを登り始める。

フロントガラスに氷の粒のようなものを見つけて、唯はワイパーのスイッチをひねった。雪だ。

雪が降り出した。

もう名残り雪と呼べるだろう三月の雪は、水っぽく頼りなく、フロントガラスに触れるや否や融《と》けて流れる。これならば積もりはしまい。チェーンなしでも大丈夫だろう。


桂子はなぜ、夫の功を裏切るのだろう。


唯は、ハンドルを切りながらぼんやりと考えた。

神保功は夫としては決して悪い男ではないだろう。市役所という堅い勤め先に真面目《まじめ》に勤め、桂子に安定した生活を提供している。

だがもちろん、女は飼われた猫の仔《こ》じゃない。暖かい寝床と必要充分な餌、それだけで生きろと言われれば絶望する。

桂子も絶望したのだろうか。功との生活に幸福を見つけることを諦《あきら》め、刹那《せつな》的な快楽を求めて佐田のような男に抱かれることでかろうじて生きていようとしているのだろうか。

こういうの、好きやない。

唯は、わけもなく悲しくなって鼻を啜《すす》った。

考えるだけ馬鹿げているとは思う。所詮、探偵が好き嫌いを言えるような問題ではないのだ。

男と女。出逢って愛し合って結婚する。

だが、そこで人生が終わるわけじゃない。その先の長い長い時間こそが、結婚の本体だ。情熱が冷め、お互いの染《し》みも歪《ゆが》みもはっきりと見えて来てからの時間を共に生きることにこそ、結婚の真実はある。

もしかしたら桂子は、桂子なりの方法で功と共に生きようとしているのかも知れない。佐田の腕の中で我を忘れる数時間がなければ、桂子は功との生活を続けられないのかも知れない。


唯にはわからない。

わからないことが、唯にはたまらなく苦しかった。

唯にはわかりようがなかったのだ。

情熱が冷める前に、愛した男の染みや歪みや醜いアラが見えて来る前に、男は消えてしまったのだから。

貴之は消えてしまった。
去ったのではない、消えたのだ。
ある日突然、夫の下澤貴之は失踪した。

そしてもうじき四年が過ぎ、唯は今でも、結婚の真実を知ることもないままに、変わらずに貴之を愛し続けている。

＊

いつものラブホテルが見えて来たところで、唯はバックミラーを確認してから減速した。前を行くベンツは、慣れた調子でスルッとホテルの中に消える。その時、反対車線を京都方面に登って来た白いカローラがフラフラッと中央線に寄って来たので、唯は思わずクラクションを鳴らしそうになった。
車で尾行をしている時になにより怖いのは交通事故だ。たとえごく小さな事故で怪我《けが》ひとつなくても、そのことでターゲットに尾行を気づかれたら依頼者に大変な迷惑をかけることになるかも知れない。だがむやみにクラクションを鳴らすこともできないのだ。ターゲットが唯の車を覚えてしまえば、それ以上の尾行は困難になる。

唯は舌打ちをして、京都方面に去って行くカローラをバックミラーの中で睨みつけた。

こんな急カーブで真ん中に寄ってくるなんて！　何を余所見《よそ》してるんやろ。それとも、居眠りでもしてたんやろか。

4

「てぇことはやなぁ」

兵頭風太は、唯が差し入れた大文字焼きを口いっぱいに頬張りながら言った。

「佐田慎一郎は四時半には生きていた、つーことかいな」

「間違いあらへん。この目で見たもん」

「唯の目玉は信用でけん」

「ビデオに撮った。マスターは依頼人に渡したけど、コピーがある」

「なんや、おまえんとこは浮気の証拠写真のネガやテープのコピー、コレクションしとんのか」

「ちがう！　依頼人が前に一度渡したテープを消してしもたんで、今度は用心してコピーしといたんや。そやけどもうええ。風太なんかに情報を提供しようなんて思うたうちがアホやったわ。そやからサッは好かんのや、市民の協力に感謝もせんと」

唯が立ち上がると、風太は唯の手を引っ張って椅子に座りなおさせた。

「そう言わんと、もうちょっと教えてや。今、新しく茶をいれさせるしな。あ、コーヒーのがええか？　紅茶か？」

「そんなもんいらん。それより、少なくともこれで神保桂子は犯人やないってわかったやろ？」

「佐田慎一郎の死亡推定時刻は五日の午後三時から五時、おまえの証言通りに佐田が四時半まで生きていたとしたらや、佐田が殺されたのは四時半から五時の間ということになる」

「神保桂子は四時半に佐田の車を降りてそのまま商店街で買い物して、五時に家に戻った。うちがずっと尾行してたんやから絶対に間違いない。その後も八時過ぎまで家の前で張ってたけど、桂子は外出しなかった」

「そうなると、神保桂子はシロってことになるなぁ。亭主の神保功はあの日は朝から滋賀県に仕事に出ていたんや。大津市の訪問先を出たのが二時半。帰りに市内の仕事を一件済ませたとかで五時過ぎに外回りから戻った。残業して役所を出たのが六時半」

「七時過ぎに自宅に戻って来たわ」

「功なら佐田を殺そうと思えばぎりぎり殺せないこともないなぁ」

「でも佐田本人は四時半まで桂子と一緒やったわけやから、功が佐田を殺せたとしても四時半から役所に戻った五時までの間でしょ。それやと遺体を花折峠《はなおり》まで運ぶ時間がない。うちは八時まで神保の家を張り込んでたけど、桂子だけやなくて、功も七時過ぎに家に戻ってから少なくとも八時までは外出してない。となれば、功が佐田の遺体を運ぶために家を出たとしても早くて八時過ぎやね」

「ところが、だ、功は町内会の寄り合いに八時半には顔を出して、十一時のお開きまで町内会長の家で酒を飲んでいた……畜生、遺体が発見されたのは午後十一時十五分や、神保家のある玄琢から花折峠まではどんなに車をすっ飛ばしても十五分じゃ絶対に着けない。従って佐田の遺体は運べない。さらに妻の桂子は車の免許を持ってないからやっぱり遺体を運べない……」

佐田慎一郎の絞殺死体は、大原《おおはら》の北、比良《ひら》山系の裏側に続く花折峠の枯れ草の中に横たわっていた。たまたま市内で用事を済ませて滋賀県の朽木《くつき》村まで帰る途中の男が、花折峠に車を停めて小用をたしていて発見したのである。遺体は特に隠されるでも埋められるでもなく、まったく無造作に道路から投げ捨てられていて、その時刻まで発見されなかったのがむしろ不思議なくらいだった。

それは神保登喜子からの二度目の依頼で唯が密会の証拠ビデオを撮影した、まさにその夜のことだった。

「死亡推定時刻に間違いはないの？」

「うん、死んでから発見までが早かったんでその点は間違いない。だが本当ならもう少し時間が絞れても良かったんや。雪さえ降らなんだらなあ」

花折峠は京都市内よりもずっと気温が低くなり、午後に市内でもちらついたあの名残り雪は、積もりこそしなかったが、峠の気温を下げる役目をはたしてしまった。遺体がどのくらいの時間凍《い》てつく戸外に放り出されていたかによって、死亡推定時刻にどうしても幅ができてしまう。

「そやけどな、唯の言った通りに佐田が四時半まで生きていたとしたらやな、遺体はどこかさほど寒くないところに置かれていて、夜が更《ふ》けてから花折峠に捨てられたことになるな。やっぱり桂子やな、あの女が八時過ぎにおまえが帰ってから家を出て、何とかして佐田の遺体を花折峠まで運んだんや」

「無茶やわ。誰か共犯者でもいない限りは女一人で車もなしにそんなことでけへん。でも神保桂子は京都には友達もいないはずやし……遺体を運んで捨てるなんて仕事、おいそれと手伝う人間なんて……ねぇ、風太、神保夫妻が犯人やいうのがそもそも間違うてるんやないの？　そりゃ妻の浮気相手と口論くらいはしたかも知れんけど、それだけで殺してしまうなんていくらなんでも……」

風太はぬるくなった茶を飲み干し、机に伏せるようにして唯の方に身を屈《かが》めた。

「佐田慎一郎の周りには、他に臭い奴《やつ》がいないんや。佐田は要するにただの工務店のスケベ親父や、女の出入りは激しかったが、借金はないし仕事で恨みを買っていたという話も聞かん。女房は佐田の浮気癖については諦めてたみたいで、ここ数年は夫婦仲が悪いということもなかったようや。ガキは中学生と小学生、どっちも不良やなくてごく普通の優等生。佐田が死ねば女房子供に遺産は入るが、そんなことせんでも何不自由なく暮らしてるんやから、佐田に生きていて稼いで貰てた方がなんぼか得や。ともかく、佐田の周辺で唯一殺人事件に結びつきそうな人間関係が、神保桂子との不倫やった」

「暴力団は？　工務店ってのはそっちの方と結びつきやすいって聞いたけど」

「うん、そっちは多少、あるにはある。バブルの絶頂期にな、佐田の会社が山元《やまもと》組の須田《すだ》って幹部の家の新築工事を請け負ったことがあるんや。佐田が奮発して最高級の材料でしかも格安で仕上げてやったとかで、その後須田は佐田のことを祇園でしょっちゅう接待していたらしい。だが佐田はそのあたりのけじめを付けるのはなかなか上手《うま》い奴やった。山元組に関しては徹底的に調べたが、わざわざ佐田を殺さなならんような理由はみつからんかったで」

「あのベンツは発見されたんやねぇ？」

「ああ、岡崎《おかざき》の市営駐車場に乗り捨てられとった」

「車からは何も手がかりは出ないの？」

「助手席のドアから神保桂子の指紋は出たが、それはまあ当たり前やな。ただ、あのベンツを最後に運転したのはこの事件の関係者やで。ハンドルやシフトレバーに指紋がひとつもついてないんや。佐田の工務店の店員や女房に確認したが、佐田は運転の時に手袋をはめる習慣はなかった」

「……だとしたら、佐田の遺体は佐田の車で運ばれた可能性がある……」

「遺体やなくても、生きている佐田自身が花折峠まであの車に乗っていた可能性もな。そこで同乗していた殺人者に絞め殺されて捨てられた。殺人者はベンツを運転して市内に戻り、ベンツを置き去りにして逃げた」

「そうだとしたら、神保夫妻はシロやね」

「完璧にな。死亡推定時刻が四時半から五時やと、仮に四時半に花折峠で殺して時速百キロで飛ばしても、神保功が五時に市役所に戻るにはぎりぎりや。だが四時半には佐田はまだ市内にいるわけやから、これではどうにもならん」

「でも……神保功は滋賀県に仕事に行っていたって話よね。花折峠なら、途中越えの道を使って滋賀県の堅田《かたた》から行けば、京都に戻るついでの寄り道としては丁度ええやない！」

「それは俺も考えた。そやけどな、神保功は確かに、四時半過ぎには市内にいたんや。奴が滋賀県からの帰りに寄ったという会社に確認してみたが、確かに神保はだいたい証言通りの時刻に寄ってる。その点に関する限り、アリバイ工作はあり得ない」

「それじゃあ、手詰まりね。他には何も？」

「今のところはな。だが今日にも府警の鑑識が徹底的にあのベンツを調べてくれることにはなっとるんや。まだ前の座席しか調べてないんでな。まあ、何か出るとは思えんが……それと、そうやな、事件の別な切り口を考えるとしたら、あの婆さんがいることはいるな」

「婆さんって、神保登喜子のこと？　でも神保登喜子は四時半には自宅にいて、少なくとも八時までは外出しなかったわよ。神保桂子が佐田の車を降りるところを撮影してすぐに神保家に電話したら登喜子自身が出たから、四時半に家にいたことは間違いない。それから五時までは登喜子が出かけていた可能性もあるけど、五時からはうちが家を張り込んでたから、登喜子が入りも出もしなかったことは確かなの。でもね、少なくとも八時までは登喜子は家の中にいたのよ」

「なんでわかるんや？　四時半から五時の間に外出して、おまえが張り込みを止《や》めてから戻って来たかも知れんやないか」

「小唄が聞こえてたんよ」

「……小唄？」

「そう。三味線の音と一緒に。登喜子の趣味は小唄だって、本人が言ってたもの。それに桂子が登喜子を呼ぶ声も何度か聞こえた。おかあさまーってね」

「……ちょっと待てや。おまえ、なんだって撮影が終わってから八時過ぎまで神保家の張り込みなんかやっとった？」

「登喜子に頼まれたの」

「登喜子に？」

「そう。撮影が終わって電話した時に、そのまま家を張り込んで、もしも桂子がまた外出したら尾行してくれって。桂子は外の公衆電話からも時々佐田に電話してるらしいから、その場面も証拠に撮影しといて欲しいって言われたのよ。だから功が帰宅して一時間ほど待ったけど、あれから桂子が外に出てくる様子もないし、あの日はそれで終了にしたんやけど」

「随分念入りなんやな」

「登喜子はどうしても桂子を離縁したかったみたい。嫁と姑って怖いね、いったん憎み合うと底なしの泥沼にはまるんやね……」

「しかしそうなると……あの婆さんには佐田を殺す動機もチャンスもないな」

「チャンスはともかく、動機なんかあるわけないやないの。佐田がいてくれるお陰で憎い嫁を追い出せるんやもの。感謝してたくらいのもんやない？」

風太は腕組みしたまま考え込んでいた。

唯は、食べかけの大文字焼きを口に押し込んでモグモグと噛んだ。

風太も歳をとった、と唯は思った。

学生時代の無邪気に楽しかった日々は、もう遠い遠い過去になった。

風太の薬指に鈍く光るプラチナ。

風太は今や三人の子供の父親になった。

なのに……あたしはひとりぼっちだ。

唯は自分ではまったく意識せずに、いつのまにか人差し指を伸ばして風太の結婚指輪をそっと撫《な》でていた。

風太は、何も言わずにそれを見ていた。

指輪……指輪。

結婚のしるし。

きっと幸せにする、その約束の、しるし。

あたしだって持っている。持っているのに。

約束は守られなかった。

君をきっと幸せにする。

その約束は、守られなかった。


指輪。破られた誓いの、悲しい形見。

……指輪？


「風太」

唯は、弾かれたように立ち上がり、風太の手を摑んで激しく揺すった。

「うちんとこに来て。事務所に。一緒に確かめて欲しいことがあるの……すぐに！」

5

「これ、この画像！　ねぇ、これ、もう少し鮮明にならへんの？」

フロッピーに記憶されていた画像をディスプレイに表示しながら、唯は画面を指さして言った。

「うーん、ビデオの画像ってのは元々すごく粗いんや。どこまで出せるかなぁ……」

風太はマウスを忙しく動かした。唯は、少しずつ変化していく画像を食い入るように見つめていた。

「あっ、これでいい！　これならわかるわ」

「何がや？」

「指輪よ！　ほら、この神保桂子の左手！」

「ああ……？　これはダイヤモンドやな」

「そう、ダイヤよ。そんなに大きいものやないけど、半カラットはあるわ。これだけでもちょっと不思議やね」

「なんで？」

「だって今時、婚約指輪でもなけりゃこんな立て爪の一粒ダイヤの指輪なんてしてるひと、そうそういないもの」

「そうなんか？　ダイヤいうたらみんなこんな形なんとちゃうんか？」

「大きい粒ならこんなデザインもまだ人気あるかも知れないけど、半カラットしかないような小さな粒を立て爪にしても見栄えしないでしょ。今はもっと変化のあるデザインが好まれるの……それはいいとして、問題はね……」

唯は、今度は別の画像を表示した。

「さっきのはあの日、佐田の車に乗り込む時の神保桂子の映像からとった画像。で、これが同じ日、佐田の車から降りる時の画像。これも同じように画像処理してみて」

風太は、またマウスを動かす。

「……これ！　ほら、指輪を見て！」

「……ダイヤがない！」

「そうなの！　指輪はしてるのにダイヤがないの。ダイヤモンドだけ、落ちてしもてるのよ！　神保桂子はこの時点でそのことに気づいていない。気がついていたら、石の落ちた台座だけ指にはめているわけがないわ。立て爪は石がとれるとプラチナの台座が服に引っかかったりしてやっかいなものなんよ。桂子が佐田の車に乗り込んだ時、備えたビデオカメラのレンズを通して何かが光った記憶があるの。なのに、車を降りる桂子を撮影している時には何も気にならなかった。それで、もしやと思ったんやけど。ね、いい？　あの日、神保桂子は佐田の車に乗り込んで一度も降りずにラブホテルに入ってる。それから佐田の車で帰って来て、やっぱり一度も降りずに公園まで来た。そうなると、桂子の指輪から落ちたダイヤモンドは、佐田の車の中かあのラブホテルの中に必ずある。でもラブホテルではダイヤモンドは見つかっていない。それにホテルでダイヤを落としたんなら、情事が終わって着替える時に絶対に気づくわ。だからあのダイヤは車の中に落ちている可能性の方が高い。でももし座席の辺りに落ちていれば、指紋を捜査した時に鑑識さんが見逃すとは思えない。それじゃ、それはどこにあるのか？　あたしの尾行していた間、神保桂子は一度も助手席から移動しなかった。彼女にはあの車の中で助手席以外に用のあったところはなかったはず。なのにどうして、あのダイヤは助手席に落ちてないの？」

「唯は、それがどこにあると……？」

「例えば……トランクの中。それか、トランクを開けた時に外に落としたか……」

風太は唯の顔を見た。瞳に鋭さが増す。

「……佐田の遺体をトランクに？」

唯は頷いた。

「あり得ると思う」

「馬鹿な」

風太は大きく頭を振った。

「いいか、唯、この画像を見ろ。神保桂子は佐田の車を降りて、運転席の佐田に向かって手を振ってる。佐田はこの時、確かに車内にいた。もし神保桂子が佐田の遺体をトランクに詰めたんやとしたら、そしてその時にダイヤが指輪からはずれたんやとしたらや、佐田が生きているこの時点ではダイヤはまだ落ちてないはずや。だがダイヤは、この時すでに指輪にはない。ええか、殺す前に遺体を隠すことはできんのやで」

「合理的に考えれば、その場合の可能性としてはひとつだけ」

唯は、画像の上にまた指をおいた。

「この男。これは佐田慎一郎やない」

風太はごくりと唾を呑んだ。それから唯の顔と画面の画像とをゆっくりと見比べた。そして、無言のままませわしなくマウスをカチカチと叩いた。

画面の上の画像が更に加工され、手前に写っている神保桂子は画像から切られた。そしてそのずっと奥、停車しているベンツの運転席にいる男の黒く陰になった顔が拡大された。それがまた何度か変化する度《たび》に、男の顔は明るく浮き上がって来た。

今や、男の正体が唯にも風太にもぼんやりとではあるが判って来た。その男は、髪型を佐田慎一郎に似せてぴったりと額に撫でつけ、サングラスをかけている。そのサングラスは確かに、もう一枚の、車に乗り込む神保桂子の画像に写っていた本物の佐田慎一郎のかけていたサングラスと同じものだ。だが、顔の基本的な輪郭の違いは明白だった。サングラスで目元がわからなくても、それが佐田とは別人であることだけははっきりと判る。

「この男は誰や……？」

「顎《あご》の線に見覚えがない？」

「顎の……」

風太がキーボードを叩いて立ち上がった。

「そうやったんか！」

「そうやったんよ。あたしもすっかり騙されてた。初めから彼らに利用されてた……みんなグルなんや。神保桂子も、佐田の遺体を運んで捨てた神保登喜子も……そして佐田を殺した、この男も」

唯は、画面の上に粗い画像となって現われた神保功の顔を、指でぱちんと弾いた。

6

「全面自供や」

風太の声が、受話器の向こうで聞こえた。

「桂子と功はな。そやけどあの婆さんはしぶとい。全部自分がひとりでやったことやと言い張ってきかんのや」

唯には、登喜子の気持ちがわかるような気がした。

登喜子の打った一世一代の大芝居に、唯もまんまと騙された。それほどに、登喜子の決意は固かったのだ。あの憎々しげなものの言い方も、嫁の悪口を言う時の生き生きと嬉しそうな瞳も、すべて芝居だった。

「佐田の脅《おど》しのネタは神保功の当て逃げや。当て逃げゆうても、蹴上《けあげ》のホテルの駐車場でちょんとぶつけただけやった。佐田はたまたま、功が駐車場でコツンとやってそのまま去って行くのを目撃していた。功は当てたことすら気づかなかったと言っとる。佐田は咄嗟《とっさ》に功の車の後をつけたらしい」

「なんでそんな真似《まね》を？」

「当てられた車が佐田の知ってる車やったんや。アウディのなんとかいう高級車で色は特注のシルバーメタリック……なんとまあ、山元組の須田の車やったんや。佐田は須田の車を知っていたから、功の後を追った。佐田は自分で神保功を捕まえるよりも、功の身元を洗って後のことは須田に任せようと考えたんやろうな。もしかしたら須田が金蔓《かねづる》にできる男かも知れないとな。ともかく佐田は神保功の周囲をウロウロする内に、別の獲物を見つけたわけや。佐田の女好きは一種の病気みたいなもんやった。功の女房の桂子は、あの通りの色白の秋田美人。ぽっちゃりした体型も佐田の好みにぴったりやったんやな。佐田は亭主の功にではなく、桂子に直接取引を持ちかけた。旦那が暴力団の幹部の車に当て逃げしたのを目撃した、告げ口すれば旦那がひどい目に遭う、と脅して、無理に肉体関係を持ったんや」

「桂子は神保功のために佐田の要求に応じた……」

「そうや。だが、佐田の要求はひつこかった。しかも、桂子はその時妊娠三ヶ月やったんや」

「本当！　それなら今は……」

「もう、七ヶ月になるらしい。腹の目立たないタチなんやな。桂子はせめて安定期に入るまでは堪忍してくれと泣いて頼んだらしいんやが、佐田って奴は外道《げどう》やった。桂子を週に何度も呼び出しては関係を持った。桂子は五ヶ月に入る直前に切迫流産で出血して入院した」

「ひどい話ね」

「まったくや。結局、入院中に桂子は姑の登喜子にすべてを打ち明けた。登喜子と桂子の関係は、嫁姑と言っても少し世間一般とは違うもんやったようやな。登喜子は本当は女の子が欲しかったとかで、嫁の桂子を娘のように可愛がってたんや。世の中には、そんな嫁姑ってのもあるんやなぁ。ともかく登喜子は佐田慎一郎に対して激しく怒り、同時にその時、佐田を殺すことを決心したらしい。登喜子は桂子に入れ知恵し、桂子は退院後の経過が良くないと偽《いつわ》って佐田との肉体関係を中止した。初めはさすがに良心が咎《とが》めたのか佐田も桂子の言うとおり欲望を抑えていたんやが、それも二ヶ月近く経つと我慢できなくなって来た。そこで登喜子の殺人計画はスタートしたわけや。登喜子はまず、おまえんとこに桂子の浮気調査の依頼に行った。おまえが引き受けるとすぐ、桂子は佐田に連絡を取った」

「二ケ月もお預けくらっていたスケベ親父は、喜んで桂子とホテルに行く。だからあたしは、簡単に佐田の身元を割り出せた……」

「そして、おまえが最初のビデオを撮影する」

「あの最初のビデオは、いわばリハーサル。あたしの撮影する画像がどの程度のものか確かめるための」

「そうや。その映像を確認して、登喜子は運転手のすり替えが可能だと判断した。おまえのビデオはピントを桂子に合わせていて、右ハンドルのベンツの運転席に乗っている人物の顔は、さほどはっきりは映らない。おまえは一人で撮影するから、ファインダーを覗《のぞ》いているおまえ自身も注意はもっぱら桂子に向けている。同じ服を着て同じサングラス、同じ髪型をした人間が座っていれば、まさかそれが佐田ではないとはおまえは考えない」

「でも佐田にすり替わっていたのは神保功よ！　それやと、功も登喜子の殺人計画を知っていて……」

「いや、登喜子は息子の功には何も知らせずに事を進めようとしていた」

「そんな！　じゃ、まさか初めの計画では佐田の役を演じるつもりだったのは、登喜子？」

「そうなんや……いくら登喜子が短髪で大柄だとはいえ、考えたら無茶な話やがな、登喜子にしてみたら、ともかく桂子のアリバイさえ確保できればそれで成功やったんや。ビデオの撮影された時間まで確かに佐田は生きていて、それ以降は桂子は家にいて外出していないというアリバイやな。そのために登喜子はおまえに、撮影が終わった後も桂子の尾行を続けるように頼んでいた。登喜子は、その間にトランクに入れた佐田の死体をどこかに運び、それがほどなく発見されるように仕組むつもりやったんや。つまり登喜子は、自分の安全は最悪の場合どうでもいいと考えていた。桂子には絶対に疑いがかからない形で佐田が殺せればと。あの日、登喜子はバスで山中越えに入り、近くのバス停から歩いてあのホテルに先まわりした。そして待ち合わせしている客を装ってホテルの中に入り込み、桂子と佐田が来るのを待ってたんや。だがハプニングが起こった」

「ハプニング？」

「そう。神保功が偶然、ラブホテルに入って行くベンツの中にいた妻を見つけてしまったんや。功はあの日、仕事で滋賀県に出かけて戻る途中、山中越えを通って来て、反対車線にいたベンツの中に妻を見つけた。ところがそのベンツはラブホテルの中に吸い込まれてしまった」

唯は突然、あの時の白いカローラを思い出した。何かに驚いたかのように突然フラフラとセンターラインに寄って来たあの車！

唯は、ぶるっと身震いし、おそるおそる訊いた。

「神保功の乗っていた車って、白いカローラ……？」

「ああそうや。そやけどなんで知ってるんや？　あれは功の自家用車やなくて、役所の車らしいで……ともかくな、功はびっくり仰天したが、山中越えの滋賀県側はほら、急なカーブの連続で途中で停まったりUターンする場所なんかないやろ、それで先に行ったとこのドライブインでやっとUターンして、あのラブホテルに入ったんや。だが功がベンツの停められている部屋に踏み込んで見たものは、妻と間男《まおとこ》の濡れ場なんかやなかった……自分の母親が、佐田慎一郎の首を絞めている姿やったんや……」

そう言えば登喜子は、最初に佐田と桂子の浮気を目撃した時の話を唯にした時、滋賀県側から観光バスで登って来て桂子の乗った車がラブホテルから出て来るのを見たと言ったのだ。それはもちろん、まったくの作り話だ。だが、息子の功が登喜子の作り話と同じ状況で桂子の密会を目撃したというこの奇妙な偶然。

神はやはり、どんな理由があろうとも殺人を許さないのだろうか。

「……功は、自分のせいで妻が苦しめられ、母親が大罪を犯したことを知った。功にできるせめてものことは、自分もその殺人計画に荷担することだけやった。功は、登喜子の計画の重要な部分を引き受けることにして佐田慎一郎の服を着て髪型を変え、サングラスをかけた」

殺人は、唯の目の前で行なわれていたのだった。唯が構えるビデオの前で。ただホテルの壁がそれを隠していただけなのだ。

「登喜子は功の乗って来た車で市内に戻り、佐田に化けた功と桂子は、佐田の死体をベンツのトランクに詰めておまえの前に再び姿を現わした。あのダイヤは、おまえの想像通りホテルの駐車場から見つかったよ。あの時、功はわざとゆっくり運転して登喜子が先に家に戻れるようにしたらしい。だから撮影が終わっておまえが電話した時、登喜子は家にいることができたんや。桂子が車を降りると、功はベンツを佐田の死体を乗せたまま市役所の駐車場に入れて仕事に戻った。登喜子はおまえの電話を受けてすぐに市役所の駐車場に行き、佐田の死体を花折峠まで運んだ。わざわざあんなとこまで運んだのは、功のアリバイを作るためやな。登喜子はあくまで、自分の安全は後回しにしたんだ。登喜子は佐田の死体を峠に捨ててから市内に戻り、ベンツを岡崎の駐車場に入れてバスで家に戻った。だが家の前では注文通りおまえが張っている。登喜子は家にいる桂子に電話して、登喜子自身が家の中にいると思わせる芝居を打つように頼んだ。小唄はもちろん、録音テープやな。最近は小唄でも長唄でも詩吟《しぎん》でも、テープに録音して練習するのが普通なんやて。外にいるおまえに聞こえるようにテープを流し、時々桂子に呼びかけさせて自分が家にいると思わせる。そうすれば少なくともおまえが張り込みを始めてからは外出していないということになる。四時半におまえが電話した時も登喜子は家にいたわけだから、登喜子が外出できた時間帯は、四時半から桂子が家に戻っておまえが張り込みを始めた五時までの三十分だけということになり、佐田の遺体を花折峠に運んだことに関しては登喜子のアリバイは成立する。おまえという私立探偵の存在を最大限に利用した、見事な策略や。知力行動力いずれを取っても、まったく大した女性だよ、登喜子という女は」

神保登喜子は必死だったのだ。彼女は、どうしても守りたかった。大切な家族を。可愛い嫁と生まれて来る孫、そして女手ひとつで必死に育てた息子。それらの存在を傷つけられることは、登喜子にとって絶対に許せないことだった。

「登喜子のたったひとつの誤算は、彼女がコンピューターでの画像処理についてまったく無知だったことやな。登喜子はおまえの渡した最初のビデオテープを見て、運転者の顔ははっきりとは判らないはずだと考えた。それを一場面だけ取り出して画像処理できるなんて考えてもいなかったろう。結局、おまえに撮影させたアリバイビデオが神保一家の犯罪を告発することになったわけや。皮肉なもんやな」

いや。
犯罪を告発したのはあのビデオではない。

唯は受話器を耳に当てたまま窓の外に目をやった。また、雪が降りだした。
三月の夕暮れの、どんよりとした灰色の空から銀色に輝く雪の破片が落ちてくる。
水気を含んだ名残り雪は、ガラス窓に触れた途端に解けて流れる。
きらきらと光りながら、ダイヤモンドのような煌《きら》めきを残して冬が融《と》ける。

無数の、輝く氷の破片。
それはとてもよく似ている。
無数の、幸せな花嫁になる約束を取り付けた女達の左手の薬指を飾る、あの石に。
無数の、きっと幸せになろう、という約束の、かけらに。

唯の脳裏に、あの時の、ファインダーの中であでやかに輝いていた桂子の顔が甦《よみがえ》った。
桂子は佐田に逢える喜びで輝いていたのではない。あれは、まさに誰のためでもなく、
その瞬間に自分の顔を撮影している私立探偵に見せる為に作られた、芸術的な嘘だった。

一人の平凡な主婦はあの一時、最高の女優よりまだ見事に演じたのだ。夫に飽き、肉欲を持て余して浮気にのめり込む女を。それほどまでにきっぱりと、桂子は決意していた。人を殺すことを。幸せになるという二人の約束を守り通すために！

だからあの日、彼女はあの指輪をはめたのだ。

だがそれは、幸せにはもっとも遠い道だった。

してはならない決意だった。

彼女の罪を告発したのは、あの、小さな約束のかけらだった。

きっと、幸せに。

果たされなかった無数の約束が、涙のかたちの水滴になって三月の街に消える。

「桂子は、指輪のダイヤがなくなっていることに家に戻ってから気づいたそうや。それまでは人を殺した興奮で気づかなかったと。トランクの中かホテルの駐車場に落ちている可能性は考えたが、今更どうにもならないと思ったらしい。彼女は観念していたみたいやなぁ。あのダイヤが発見された時、すべては終わると……」

唯は受話器を置いた。そしてクローゼットを開け、いちばん奥にしまい込んだ宝石箱を取り出した。蓋《ふた》を開けてそっとつまみだし、左手の薬指にそれをはめた。

二人で結んだ果たせなかった約束。

唯は、その約束の小さなかけらが、どこか悲しそうに瞬きながらきらきらと光るのを、いつまでも、いつまでも見つめていた。

送り火の告発

1

「これで全部かいな」

兵頭風太が無造作に積み上げた資料の束《たば》を、唯は腹立たしげに睨んで横を向いた。

「いつまでむくれとんのや、警察に協力するのは市民の義務やで」

「うるさい」

唯は、パソコンの埃を払うのに用意してある小さな羽箒《はねぼうき》で、これみよがしに風太が座っている机の上を叩いた。

「用が済んだらはよ出てって」

「うるさいやて」風太は連れていた部下の刑事に顎で指図した。「反抗的な態度やなぁ。こういう態度の私立探偵は要注意やな。わしらに協力せんとコレもんの仕事手伝どうたりするさかい」

風太が頬に指で斜めの傷を入れたのを見て、唯はとうとう我慢できなくなった。

「名誉毀損やわ」唯は拳で机を思いきり叩いた。「訴えたる。この下澤探偵事務所がいつ暴力団関係の仕事したんか、証拠を揃えて出して！　出せへんかったら、たった今、弁護士に電話する！」

「おう、したれや」風太は机から降りると、背広のポケットから煙草を出してくわえた。

「その代わり、証拠探すんでこの事務所、ガサかけさして貰うで。ガサ入れなんかされたらおまえんとこ、それだけで評判に関わるんやないんか」

「恫喝《どうかつ》！」唯はまた拳を机に叩きつけた。「あんたのやってることはヤクザと一緒やないの！　それに風太、ここは禁煙！」

風太は舌打ちして煙草をしまった。

「探偵事務所が禁煙やなんて、ロマンのない話やなあ」

「煙草とロマンは関係ない」

「チャンドラーを読んだことないんか」

「ない。ハードボイルドなんか嫌いやわ。ん、もう、そんな話してんとはよ出て行ってったら！　あんたらサツ見てるとムカムカして来る」

「あかん、唯、おまえそれツワリやで。亭主の留守にナマでやったらあかんなぁ」

風太の同僚までがニヤニヤした。

唯は度の過ぎた冗談に怒るのも忘れて、じっと風太の顔を見ていた。

「もうええ」唯は低く言った。「好きにしたらええわ。ガサでも何でも好きなようにし。あんたらみたいな下司《げす》と話してるとこっちまで汚なる」

唯は机の脚を思いきり蹴飛ばすと、廊下に出て事務所のドアを叩きつけて閉めた。

私立探偵だった夫・貴之の失踪からもう五年。

貴之が戻って来た時に事務所の看板が下りていては貴之が淋しく思うだろうと、意地で続けて来た探偵事務所だった。ずぶの素人《しろうと》から五年頑張って、ようやく最近は探偵らしい仕事ができるようになって来たと、自分でも思い始めている。

だがそれだけに、周囲の扱いは次第に厳しいものになっている。同業者同士のやっかみから中傷されることも多くなって来たし、こうして警察と摩擦を起こすことも頻繁にあるようになった。

風太が本心から自分を傷つけようとしたのではないことは、わかっていた。風太はこの五年、唯にとっては保護者のような存在だった。唯の夫・貴之の大学の後輩で、風太の妻とも唯は友達だった。

だが最近の風太にははっきりと苛立《いらだ》ちが見える。唯に対しての言葉もきつくなったし、仕事ではほとんど容赦がなくなったと言ってもいい。

それは当然と言えば当然なのかも知れない。警察の仕事は遊びではない。知り合いだから、先輩の妻だからと手心を加えていたのではまともな捜査などはできないもの。これまでの自分がたぶん、風太に甘え過ぎていたのだろう。

ただそれでも、あんな言葉はぶつけて欲しくなかった、と思う。セクハラだとかいう以前に、誰よりも唯の気持ちをわかっていてくれるはずの風太が、唯の貴之への思慕を汚すような言葉を吐いたのが信じられない。

唯は、悔《くや》し涙を袖《そで》で拭《ふ》いて、狭い京都の路地を鴨川《かもがわ》の方向へと歩いた。

旧盆もすでに過ぎていたが、残暑と呼ぶにはぎらぎらと元気過ぎる八月の終わりの太陽が、唯の背中に落ちようとしていた。

川面はまるで宝石を砕いてちりばめたように美しい。紅と金と銀と白。

唯は二条《にじょう》の橋から土手へと降り、飛び石の近くに腰をおろした。

二条の飛び石は子供達の水遊び場、そしてその西側の土手は、恋人達の指定席だ。日が落ちて夕闇が辺りに立ちこめる頃、鴨川の西の土手には等間隔に座って寄り添う恋人達が、ずっと荒神《こうじん》橋から五条《ごじょう》大橋の近くまで点々と場所を占める。印がついてるわけでもないのに計ったように等間隔に並ぶ恋人達は、京都の夏の風物詩になっていた。

唯は溜息をついた。

ひとりで座っているのが何とはなしに落ち着かない。

と思った心が通じたのか、唯の隣に誰かが黙って腰をおろした。

風太だ。見なくても、気配でわかった。

唯は黙っていた。

「コロシやで」

風太は静かな声で呟くように言った。

「人がひとり、殺されたんや。女房もおる。子供かてまだ小学生や。それも三人や。亭主に突然死なれて、あの女房がこれからどんな人生をおくるんかと思うと、胸が痛む。俺のとこもガキが三人、もし今俺が死んだら、あいつはどないして生きて行くんやろ、そう思うとな。そりゃ、ホシにも言い分はあるやろ、伊達《だて》や酔狂で人殺しはでけん。殺された奴の方が悪いと思えることだってある。そやけど、やっぱり殺しはあかんのや。償《つぐな》わせたかて死んだ人間は生き返らんとしても、やり得にはさせられんのや」

風太は煙草の箱を取り出した。

「川は禁煙とちゃうな」

風太が低く笑って煙草に火を点《つ》ける。使い捨てライターのガスの臭いが少しだけした。

「うちは浮気なんかせん」

唯は、前を向いたままぽつりと言った。

「すまん」風太は川の方を向いたまま頭を下げた。「さっきは言い過ぎた。俺は気が小さいんや。おまえと俺との間に何かある、俺がおまえのやってることに目こぼししとるて、いらんこと言う連中がおる」

風太は煙を長く吐いた。

「情けないなぁ、ほんま、自分で自分が情けないわ。俺も所詮、サラリーマンや、人の噂が恐い」

「うちのこといじめとったら、風太は出世できるん?」

「いじめてやせんがな。他の連中と同じに扱っとるだけや。俺はもともと口が悪い。そやけど、さっきのは、ほんま口がすべった」

川風が涼しくなった。日がゆっくりと落ちて、辺りがふっと暗くなる。赤とんぼが一匹、唯と風太の目の前を、すぅと通り過ぎた。

「でもな、唯」

風太は、短くなるまで喫《す》った煙草を自分の革靴の踵《かかと》で消した。

「ほんまはもし、おまえに好きな男がおって赤ん坊でもできたんやったら、俺は嬉しいんやで」

「風太!」

「怒らんで聞いてくれ。ええか、下澤さんが失踪してもう、五年やで。あと二年したら、下澤さんは法的にも死んだことになるんや」

「ならない！」唯は激しく首を振った。「絶対にならない！　うちは届けなんか死んでも出さんもん」

「それでもや、それでも、もう世間の常識では下澤さんはこの世にいないのと同じになるんや！　唯、おまえ浮気はせんて言うたな、ほならもし、下澤さんがこの先もずっと帰って来なかったらどないするんや？　おまえ、このまま死ぬまで男に抱かれんと、ひとりぼっちで生きて行くつもりか？」

「そうや！」

唯は膝に顔を埋《うず》めた。

「それでええやんか。そんなのうちの勝手やんか……」

「唯、俺はおまえに、今よりもっと幸せになって貰いたい。俺には女房とガキがおる、だから俺がおまえを幸せにしてやることはできひん。そやから、おまえが惚《ほ》れるような男が現われてくれたらと、俺は祈ってる」

風太は立ち上がった。

「今度のヤマがメド立ったら、また俺んとこ飯でも喰いに来いや。純子《じゅんこ》もおまえに逢いたい言っとったで」

風太は口笛を吹きながら去って行った。

唯は顔をあげた。

比叡山《ひえいざん》のケーブルカーのあかりが見ている間にともって、いつの間にやら暗くなりかけた空には、一番星が瞬いていた。

2

菓子折を持って現われた女は、問題の顧客のマネージャーだった。迷惑をかけた詫《わ》びにと金も包んで来たが、唯は受け取らなかった。

「あの子がまさか探偵社さんのことまでベラベラ喋るとは思っていなかったものですから。本当にご迷惑をおかけいたしました」

「別にわたくしどもは何も迷惑などしておりません」

唯は、恐縮している田上美代子《たがみみよこ》をリラックスさせようと笑顔で言った。

「わたくしどもには、職業上知り得た顧客の秘密はむやみに漏《も》らしてはならない、という義務がございます。ですがお客様がご自分から、当探偵社に依頼したと警察にお話になるのはご自由ですから」

て、資料の提出に応じました」

「でも、家宅捜索をされたとか」

「大袈裟《おおげさ》ですわ。ただ捜査員が来て、相澤《あいざわ》ミナミさんが依頼された件についての資料の提出を求めただけです。当方といたしましては、相澤さんご自身が依頼について警察に話されたということから、資料の提供をしても守秘義務違反には当たらないと判断いたしまして、資料の提出に応じました」

人気女優、相澤ミナミの依頼とは、婚約者の素行調査だった。

一年前の夏、相澤ミナミは、売れっ子脚本家で京都在住の友沼章二《ともぬましようじ》と婚約を発表したばかりで、幸福の絶頂にあるはずだった。だが、彼女は友沼章二が京都市内に愛人を囲っていると思い込み、マネージャーである田上美代子にも内緒で京都にやって来ると、電話帳広告を見て下澤探偵事務所に飛び込んで来たのだ。人気商売の女優としては、あまりに無防備な行動だ。だが相澤ミナミは、中学生の時、原宿《はらじゆく》で買い物していたのをスカウトされて芸能界入りしたラッキーガールで、下積み経験がないためか、どこか自己防衛の能力に欠けているようなところがあったのだろう。

調査結果はクロだった。友沼章二は、確かに市内に愛人を囲っていた。

結局、婚約は解消された。だが世間には婚約解消の真相は漏れなかった。相澤ミナミの所属事務所は、お嬢様っぽさと利発な受応えが最大の売り物であった彼女には、男に騙されていた愚かな女、というイメージを人々に抱かせるような婚約解消劇を望まなかった。それを受けてマネージャーの田上美代子が取った作戦は巧妙だった。友沼章二の「友人」達に様々な「証言」を垂れ流させ、友沼章二は下品で無神経な男であり、相澤ミナミの方が耐えられなくて愛想づかししたのだ、というストーリーをでっち上げたのだ。当の友沼章二も、結婚詐欺師として叩かれるよりはまだ下品で無神経と言われた方がましだと思ったのか、特に抗議もしないまま、婚約解消などはよくあるスキャンダルのひとつとして、順調に忘れられて行った。

だが今年、八月十六日の夜、事件は起こった。友沼章二の弟・武男《たけお》が、大文字見物で賑わう賀茂《かも》大橋のたもとの草むらで、遺体で発見されたのだ。

鋭利な刃物で心臓をひと突き。

午後八時寸前、見物人の整理にあたっていた警察官が巡回した時にはその死体はなかった。そして午後八時四十分、死体は発見された。たった四十分間の間に惨劇は起こったはずなのだ。

だが数十万人の人が一斉に夜の町に繰《く》り出して五山の送り火を楽しんでいる最中では、誰も友沼武男が誰かに刺されるところを見た者はいなかった。

警察は友沼武男の関係者のすべてを洗った。当然、兄の元婚約者、相澤ミナミも質問を受けた。だが彼女はその時、動転していたのかそれとも単なる浅慮からか、一年前に私立探偵を雇ったいきさつまで警察に話してしまったのだ。

「ともかく、こちらが迷惑したということは何もありませんから、どうぞお気を遣《つか》わずに。ですがあの婚約解消の真相は世間に漏れてしまいますね」

唯が言うと、田上は正面から唯を見据えてきっぱりと言った。

「致し方ありません。元々、相澤には落ち度はなかったのですから、ばれたらばれたで、友沼さんのことをせいぜい、相澤に有利になるよう利用させていただこうと思っています。幸い相澤が殺人を疑われる心配はありませんし」田上はにっこりした。「相澤には、鉄壁のアリバイがございますから」

「……アリバイ？」

唯は田上の口から出たその言葉を、意外に感じて聞き返した。田上の表情が一瞬変わったが、また元の落ち着いた笑顔に戻った。

「ええ、警察って誰でも疑いますでしょ、こういう場合。何しろ八月十六日は、相澤は仕事で京都におりましたの」

「そうでしたか」

「そんなわけですから、アリバイがあるかないか考えておくのは転ばぬ先の杖ですわ。幸い、あの夜は相澤はテレビの仕事でして、わたくしがずっと付き添っておりましたから」

「いつも相澤さんの本番には付き添われるんですか」

「当然ですわ。それが仕事ですもの」

田上美代子が引き揚げると、この夏休みから唯の事務所でアルバイトをしている松下敬《まつしたけい》子《こ》が、感心して言った。

「ほんまに優秀そうな人ですよね。敏腕マネージャーって感じ」

「そうやね、それに服装のセンスもいいし化粧もうまいし、素人離れしてる」

「下澤さん、ご存じありません？」

敬子が意外そうに唯を見た。

「何を？」

「あの人確か、元は芸能人ですよ」

「ほんまに？　歌手か何か？」

「アイドル歌手です。今からもう……二十年以上昔に、人気あったんやなかったかな。もちろんうちはリアルタイムでは知らんけど、カラオケであの人の歌、よく歌うんです」

「そうやったん」唯は納得して頷いた。「どうりで……そやけど何で引退したんやろ」

「ほら、ビンボー事件ですよ」

「ビンボー事件？」

「しょうもない話です。そやけどうちも知ってるくらいやから有名な話やけど。あの人が人気絶頂やった頃、お正月番組で子供達と遊ぶって企画があったらしいんです。よくあるやないですか、遊園地とかから中継で。それでね、子供にお年玉いくら貰ったか訊くシーンがあったんですけど、何人かの子供達の中でひとりだけ、金額がごっつい安かった子がいたらしいんです。それであの人、ついうっかり、ビンボーなうちの子ね、とか言うてしもたらしいんです」

唯もその事件には微《かす》かな記憶があった。その発言が流れた直後からテレビ局に抗議の電話が殺到し、翌日の新聞でも取り上げられ、遂にその発言をしたタレントの事務所が謝罪したという経緯があったはずだ。

「確かに、テレビの生で子供相手に、マジでビンボー、はまずかったですよね。そやけど、その当時、何でもかんでもビンボー、言うて笑うのが流行《はや》ってたらしいんです。あの人もまだ中学生やったし、悪気はなくてつい口から出てしもたんやないかな」

「うん……そんな流行語、あったような気がする。それでその事件で、引退？」

「いきなり引退はなかったと思うけど、結局干されちゃったんやないですか。アイドル歌手なんて、交代要員はいくらでもいますもんね、ひとり消えても誰も困らない。ある程度の期間干されて画面から消えたらもう終わりやないですか、元々、特に芸があってデビューしたわけやないし。中学生が一度くらい失言しただけで、気の毒やとは思うけど」

「ふぅん」

唯は田上美代子の意志の強そうな太い眉と大きな目を思い出した。

「でも、悔しかったやろね」

「そりゃそうですよ、大体、その流行語を造ったんもテレビの番組やったはずやし、どんな時に使《つこ》たら洒落にならんかいうのを中学生に判断しろ言うのは酷やと思います。そやけどええ根性ですよね、嫌な思い出のある芸能界に大学出てからまた入り直して、今度はマネージャーになるやなんて」

唯には理解できるような気がした。

嫌な思い出のある芸能界だからこそ、そしてわずか十四、五歳で社会の理不尽さと直面させられたからこそ、そこにもう一度帰って生き抜くことが、彼女の心に踏ん切りを付ける上では大切なことだったのだろう。

「あの相澤ミナミも、あの人が見つけて来たらしいですね。週刊誌に出てました。相澤ミナミはあの人と違って、失言てほとんどしたことないらしいです。ものすご頭のええ人やて評判です」

「……頭のいい？」

「ええ。テレビのクイズ番組なんかでも気の利《き》いたことを言うし、何でもよく知ってるし。アイドルから転身して今は女優ですけど、ああいう頭のいい人やったら消えないで生き残りそうですね」

唯は敬子の言葉に軽く小首を傾《かし》げた。相澤ミナミが本当は頭脳明晰だったとしても、一年前に飛び込みでいきなり探偵事務所に婚約者の浮気調査を依頼したというのは、少し楽天家過ぎるだろう。しかも今回はまた、黙っていればいいことを自分から警察に話してしまうような、おっちょこちょいな側面も垣間《かいま》見せた。

「失言がない、か」

「あの人もその点はすごく神経質になってるんでしょうね。自分の失敗を相澤ミナミが繰り返したりしないように」

「そうやね」唯もそう思った。「さぞかし神経質になってるやろね」

「それにしても友沼章二の弟さん、なんで殺されたりしたんでしょ」

敬子は写真週刊誌を開いて唯に見せた。

「ほら、こんないい男ですよ」

「敬子ちゃん、週刊誌ばっかり読んでるんやない?」

「うち、好きなんです、三面記事っぽいのって。大学出たら私立探偵になろうかそれとも、雑誌記者になろうか考えてるとこなんですよ」

「探偵も雑誌記者も大手の会社に入ろうと思ったら、まず社会常識の勉強せんと。それに英語、法律の知識、国際情勢の知識」

「それやったら他の会社の就職試験と同じやないですか」

「大手はみんな同じよ」

「うちは勉強はええわ。試験落ちたらここで雇って貰いますもん」

敬子は笑った。唯は敬子が渡してくれた写真週刊誌を見た。

確かに、友沼武男は美男子だった。妻子持ちだが兄の章二と二つしか違わないとは思えないほど、若く見える。

「元は劇団の男優さん、か。映画にも多数出演したが、目立った役はなかった、やて」

「お兄さんのコネは使えなかったんでしょうか」

「使《つこ》たけど、芽が出んかったんやない？　芝居は才能がないとどうもならんのやないかな……引退して輸入雑貨商を始めたが失敗、資金繰りに困っていた」

「人生、悲喜こもごもですねぇ。探偵業も辛《つら》いですよね、そういう人生の裏、見ないとあかんから」

「そうよ」唯は週刊誌を閉じた。「そやから敬子ちゃんもよく考えてね。探偵なんて、若くて夢のたくさんある人がやる商売やないのかも知らんよ。それにこの間みたいに警察ともやり合わなあかんし、ヤクザとトラブル起こすことだってあるし」

「でも下澤さんはこの仕事、好きなんでしょう？」

唯は苦笑いして、ゆっくり頭を横に振った。

「わかんない。うちは探偵に惚《ほ》れたけど、自分が探偵やりたいなんて思うたこともなかったし。そやけど、今はやめられないんよ」

「ご主人が戻って来るかもわからないから?」

「それもあるけど」唯は、フフ、と笑った。「やめても他にしたいことがないん。この先どうやって生きて行くか決めるまでは、取りあえず、続けるしかないんよ」

3

「ほなら、行き詰まったわけ?」

「ああ」受話器の向こうで、風太が不機嫌に言った。「そういうことになるな。友沼武男が暴力団系の金融機関から金借りる時、生命保険に入らされてたいう事実が出たんでこれで決まりや思たんやけどな、まさか、友沼の会社が本物のベルサーチを大量に持ってたとはな。ベルサーチはご本尊が死んでデザイナーが変わるから、これまでのデザインにしばらくはプレミア的な人気が出るやろ。銀行の借金を小さく割り引かせて肩代わりし、債権として差し押さえた在庫をみんなで山分けした方が、殺して保険金取るよりずっと賢いがな」

「保険金目当てに暴力団がやった、って線は消えたわけか……他に追えそうな線はないのん？」

「今のとこ、おまえさんとこから持って来た調査報告書がいちばんの目玉や」

「……どうして？」

「あれによれば相澤ミナミの婚約解消の理由は、武男の兄の愛人問題やないか。それなのに世間に公表された理由は確か、友沼章二と相澤ミナミの相性が合わなかったとかやないか？　男の方が下品で育ちが悪いとか言うて女が愛想尽かしたことになっとった」

「相澤ミナミのイメージを守るためやったらしいけど」

「ほんまにそれだけか？」

風太の声は奇妙な低さで唯の耳に響いた。

「女の方に落ち度がなかったんやったら、もっと激しく糾弾するとか、慰謝料請求するとかいうのが当たり前やないのか？」

「……風太、何が言いたいん？」

「何も言いたない。いや、調査報告書の提出にご協力いただいて感謝しております、とだけ言っておくわ。だけどな、唯」

風太の口調がまた変わった。

「これは殺しの捜査や、おまえが何か他にも知ってること隠しとって、そのせいで解決が遅れるようなことになったら、俺も容赦せえへんで」

脅し、というよりは、もう一度何か見落としてないか考えてみてくれ、という頼みのように聞こえる口調だった。

唯は電話を切ってから、相澤ミナミについて思い出してみた。彼女がジーンズにTシャツという姿で、化粧が汗で流れているのにも気づかないほど興奮して、この事務所を訪れた時のことを。

相澤ミナミは、二十六歳という年齢よりずっと幼く見えた。言葉の選び方も幼稚で、あまり深く考えずに話すので、意味が通らないことがたまにあった。自然体で好感の持てる女性ではあったが、敬子が言っていた世間一般の印象とはだいぶ違っていたように思う。

あの時の彼女であれば、何かのはずみに人殺しをしてしまったと言われても、そういうこともあるかも知れない、と思えた。婚約者に愛人がいるとわかったショックで早口でまくしたてていた彼女は、興奮すると我を忘れるタイプのようだったのだ。例えば、あの婚約解消劇の裏には、相澤ミナミの側にも落ち度があったとしたらどうだろう。だからあれほど激昂《げっこう》していた彼女が、愛人の存在について一言も相手をなじることなく訣《わか》れることに同意したのだとしたら。そしてその秘密を弟の武男は知っていたとしたら。

『相澤には、鉄壁のアリバイがございますから』

唯は、田上美代子の言葉を思い出した。

「あ、今夜、大文字の時の相澤ミナミの番組、放映されますよ！」

新聞のテレビ欄を見ていた敬子が言った。

「ほら、今夜放映の二時間スペシャル。『伝統の町・京都特集』、相澤ミナミ大文字の送り火に感動！　ですって」

「大文字、十六日の録画やね？」

「他にもいろんな京都の映像があるみたいですけど、十六日の夜のは相澤ミナミの中継録画みたいですね」

十六日の中継。田上美代子が言っていたのはこのことだったのだ。

友沼武男が殺されたのはまさに、大文字の送り火の最中だった。その時間にテレビカメラの前に立っていた相澤ミナミには、なるほど、鉄壁のアリバイがある……

＊

最初の赤い火が小さな点のように「大」の字の中心にともる。見物人の歓声があがる。

それから数秒で、「大」の字は夜空に赤々と燃え上がった。

ひしめきあって夜空を見つめる見物人の熱気が、画面の外まで漏れて来そうだ。

「ほんとにあたし、とっても感動してしまいました」

相澤ミナミが、目を潤《うる》ませている。

「実際にこの目で見てみるまでは、ただ山の中腹に火を点けるだけだと思っていたんです。でもこの大文字焼きという行事は、やはり京都の人々の心に深く根ざした、荘厳な行事なんだなぁと思いました」

画面の中に小さな笑い声が起こったが、画面の外にいる見物客の声らしい。

浴衣《ゆかた》姿の相澤ミナミは、笑い声は気にせずに興奮気味にしゃべっていた。

画面には『妙法』の姿が映し出された。優雅な筆跡が暗い夜空に浮かび上がる。

「相澤さんは今回実際にご覧になった文字の中で、どれがいちばん好きですか?」番組進行役のタレントが訊いた。

相澤ミナミは、テレビカメラからはずれたところにあるモニターを確認しているのか、チラッと視線をはずしてから、笑顔になってカメラの正面を向いた。

「そうですねぇ、あの一筆書きみたいな『妙』かしら。あれってとても面白い字ですよね。あとはそうですね、あの変な形の鳥居も好きです。鳥居にはあんまり見えませんけれど」

唯は画面を見た。そこには船山《ふねやま》の船形の送り火が映し出されている。

場面はすぐに変わって、アナウンサーと相澤ミナミの後ろでは、テレビカメラに映ろうとしている中学生くらいの数名が、押し合いへし合いしながら必死にピースマークをつくっていた。


「この撮影、どこやろ」

唯の問いかけに、敬子はじっと画面を見つめる。

「やっぱり出町柳《でまちやなぎ》の周辺やないですか。大文字を映すとしたら、あそこからがいちばんいいですよね。それにほら、あの男の子達の後ろ、川の中に小さく見える黒っぽいの、出町の中州でしょ」

「ということは……北を向いてるわけか」

「大文字から妙法、船形と見ていれば自然と北を向きますよ」

「そうね、でも」唯は首を傾げた。

唯は躊躇《ためら》いながら、風太の携帯電話に電話してみようかと思った。だが次の瞬間に、小さく頭を横に振った。

もし唯の想像が当たっているのなら、警察に連絡する前にできることがあるはずだ。

4

松尾《まつお》橋を渡ると松尾大社、そこから北へと歩くと、間もなく嵐山《あらしやま》に出る。

渡月橋《とげつきょう》の上に立つと、さほど高い位置でもないのに、東の方向に京都市内が一望できた。小さく、銀閣寺の大文字の「大」の字まで見える。

振り返ると鳥居の形が山肌にあった。だが山は低くなだらかだったので、鳥居はかなり扁平《へんぺい》に、寝そべったように見えている。

五山の送り火が終われば、京都の夏も終わりだ。耳に響く蟬《せみ》の音も、真夏の蟬は減って悲しげに鳴くヒグラシの声が強くなる。

「鉄壁の、アリバイ」

唯は渡月橋にもたれて川面を見つめながら、小さく呟いた。

＊

「わざわざ東京まで」

田上美代子は驚いた顔を隠そうとせずに言って、唯の前の席に座った。

「でもどうしてお電話ではいけなかったんでしょうか」

「お時間がないことは承知しております。けれどどうしても、直接お会いしてお話がしたいと思いました」

「先日の件でしたら、相澤がご迷惑をおかけしたことは重々……」

「そのことではありません。ただいくつか、田上さんの口から確認しておきたいことがあります」

「……はい？」

「友沼さんが殺された夜のことなんですが」

田上の顔つきが険《けわ》しくなった。

「あの夜撮影された番組が、京都でも昨日放映されました」

「あら」田上は少しだけ口元をほころばせた。「遅かったですわね。こちらでは先週、放映されましたわ」

「ご覧になられました？」

「もちろん。相澤の出演した番組はすべて見ておりますから」

「先日のお話では、田上さんもあの撮影には立ち会われたということでしたね？」

「わたくしはいつも、相澤の本番には付き添っております。相澤はご存じの通りの苦労知らずでして、本人に悪気はなくともわがままと取られてしまうような行動をとることもあり、フォローは欠かせませんから」

「田上さんのきめ細かなフォローのおかげで、彼女はバッシングの矢面《やおもて》に立たされたりスキャンダルにまみれたりすることなく、安心してお仕事ができるわけですね」

「別にそんな大層におっしゃっていただくようなことではありません。それがわたくしの仕事ですから、当然のことをしているまでですわ」

唯はふっと、涙で鼻が痛くなった。

この田上美代子の気丈さは何から来るものなのだろう。

この女性にとって、赤の他人のはずの相澤ミナミはそんなにも大切な存在なのだろうか。

「田上さん」

唯は冷めた紅茶をひとくち啜った。

「とても残念だったのですが、昨日拝見させていただいたあの番組での相澤さんは、あまり熱心にお仕事をなさったとは思われませんね」

「あらそうですか？」田上は皮肉な笑顔になった。「相澤はいつも全力投球の子ですわよ。まあテレビ番組を見ての感想などは読書感想と一緒で千差万別なんでしょうが」

「そうですか。だとしたら熱が入っていらっしゃらなかったのは、田上さん、あなたの方でいらしたんですね」

「番組にご不満がございましたのね。それでしたらお詫びいたします。でも参考までにお聞かせ下さいません？どこがいったい、お気に召さなかったのでしょう」

「失言があったんです」

　唯は言った。

「相澤さんは滅多に失言をされないので有名ですね。若手のタレントさんには珍しいと、その点では高い評価を得ていらっしゃった。ですが先程、とある芸能レポーターの方に伺ったのですが、相澤さんが失言をされないのは当然と言えば当然でした。なぜなら相澤さんは生放送にはほとんど出演されない。そうですね？」

「相澤のスケジュールをご存じですか」

　田上は動ぜずに答えた。

「あの子の平均睡眠時間は五時間弱、ここ一年間で完全なオフはたった五日だけ。アイドルタレントでしたらそれで普通かも知れませんが、二十五を過ぎた女優としては忙し過ぎると言えると思います。生番組というのは、打合せやリハーサルにとても時間がかかるんです。やり直しが利《き》かないので当然のことではありますけど、相澤のようなスケジュールで動く者にとっては、生番組のうまみは少ないと言わざるを得ません」

「それにリスクも大きいですよね。生放送では一度口にしたことを取消すことはできませんから。これまでにも、生放送でつい口を滑らせたばかりに仕事を干されて消えてしまったタレントさんというのはかなりいたと聞いています。つまり、相澤さんが生放送を嫌うのは、録画番組であればそうした失言をしなくて済むからです。あなたがずっとそばについて監視していて、まずい、と思ったら録り直しして貰うとか、編集の時点でカットして貰うよう申し出ることができる」

「それがいけないことでしょうか」

田上は挑むように言った。

「女優にしても芸能タレントにしても、常に身ひとつで何万人という視聴者や観客の前に身を晒《さら》していないとなりません。そのプレッシャーをご想像になって下さいな。タレントだって人間です、失言のひとつやふたつ、してしまうことがあって当然です。ですが世間はそれを許してくれません。たった一言、無意識に口をついて出た言葉のために、翌日からの仕事がすべてキャンセルされてしまうような残酷なことが、この業界では日常茶飯事《さはんじ》なんですよ。生放送に出演しない、生のインタビューには答えない、それもタレントの自己防衛手段のひとつですわ」

「二十二年前、とても可愛らしいひとりのアイドル歌手が、その失言で芸能界から消えて行きました」

唯は田上の方は見ずに淡々と言った。

「少女はまだ十四歳、中学生でした。少女に悪気などはなかったんです。馬鹿にするつもりもなかった。本当に咄嗟に出てしまった言葉でした。ですが、世間は許してはくれなかった。

「当然ですわね」

田上は瞬《まばた》きせずに唯の顔を見つめていたが、やがて静かに言った。

「いたいけな子供の心を傷つけてしまったのですから」

「そうかも知れませんね。ですが、そうした流行語が野放しにされている社会を省《かえり》みることもなく、それを口にした少女だけを社会的に抹殺してしまうことでは、何も解決はしません。少女はある意味で、犠牲者だったのだと思います。もし少女にしっかりとしたマネージャーがついていて、普段から口にする言葉に気をつけるような習慣を身につけさせていたら、少女は大スターになっていたかも知れません。田上さんは、そうは思われませんか？」

「さあ。大スターになるには品行方正なだけでは駄目ですからね。才能と、持って生まれた資質が必要です」

「そうですね。でもその少女は大人になって考えたのだと思います。自分の味わった苦い経験を活《い》かして、自分には成し遂げられなかった夢を実現してみたいと」

唯はもう一口、紅茶を啜った。冷たい苦さだけが舌に残る。

「田上さん、相澤ミナミさんはあなたにとって、あなたの果たし得なかった夢を実現してくれる、そんな存在です。あなたが見つけ出し、あなたの手で大切に育てあげた掌中《しょうちゅう》の珠《たま》です。あなたは相澤さんの発言には極めて神経質にチェックを入れ、おかしなところがないように気をつけた。その点では、言葉は悪いのですが、病的なほどだと事務所の方も言ってらっしゃいましたよ。それなのに昨日の番組では、相澤さんはミスを犯しました」

「わかりませんわね」

田上は本当にわからない、というように頭を振った。

「わたくしもあの番組は見ましたけれど、失言をしていたという記憶はありませんが」

「東京の方がご覧になれば、何もおかしなところのない発言だったのかも知れません。ですが、京都の少し年輩の人が耳にすれば、この女優はものを知らない、と笑い者にするに違いないようなミスでした。まず最初のミスは、相澤さんが五山の送り火を『大文字焼き』と表現してしまったことです。大文字は若草山の山焼きとは違います。先祖の霊を霊界へと送る送り火です。京都で大文字焼き、と言えば、銀閣寺道交差点のお菓子屋さんで売っている今川焼きのことですよ」

「そうでしたか」田上は驚いていた。「それは知りませんでした。わたくしの勉強不足ですわね」

「ご存じなかったのは仕方ないとしても、それを発言された瞬間に、周囲の見物人から失笑が漏れたことに気づかなかったというのは、あなたらしくないミスだと思います」

「失笑……？」

「明らかにそうだと思いますよ。もう一度録画をご覧になって確かめてみて下さい。田上さんがもしあの時、いっしょにおられたとしたら、見物している人に笑われているという状態は、相澤さんが教養があり知識が豊富な女性であるというイメージに障《さわ》るものであると考えられたはずです。でもあの場にいなかったとしたら、見物客の笑い声が相澤さんの発言のせいではなく、他の何かがあったのだろう、くらいに感じて気にならなかったでしょう」

田上が驚愕した目で唯を見た。だが、低く言った。

「わたくしはいつも、相澤の本番には付き添っておりますと申し上げたはずです」

唯は頷いて続けた。

「大文字の送り火を大文字焼きと言ってしまうのは、京都人以外の人にはよくあることです。テレビ局などの中継でもアナウンサーが平然とそう呼んでいたりしますし、京都に住んでいてもうっかりそう呼ぶ人もいます。ですから些細なことと言ってしまえばそれまでです。あなたがあの場に本当にいらしたと仮定しても、あなた自身が大文字焼きという言葉に違和感をおぼえなければ、笑われているのが相澤さんだとは気づかなかった可能性はありますね。けれど、もう一つのミス、これは本番中ずっとあなたが相澤さんのそばについていらしたのでしたら、絶対におかしいと気づき録り直しを要求されていたはずなんです。なぜなら相澤さんは、実際にはその目で観賞したわけではないものについて、好きだと発言してしまったんです」

「なんですって？」

「相澤さんはおそらく、あの番組に出るにあたって、五山の送り火にどんなものがあるかくらいの事前知識を番組のスタッフから聞かされていたのでしょう。それで、五山の最後に点火されるものは、嵯峨野《さがの》の鳥居だと憶えていた。ところが実際に撮影の行なわれたあの場所、大文字、妙法、船形が美しく見える出町柳付近からは、金閣寺の大文字と嵯峨野の鳥居は見えないんです」

田上が一度大きく目を見開いた。

「そうです、彼女ははっきり言ってますね。鳥居が気に入ったと。どうしてそんなことを彼女が言ってしまったのかは彼女に訊いてみないとわかりませんが、想像するに、彼女は勘違いしたのではないかと思います。彼女はモニターを確認しながらしゃべっています。それは彼女の視線の動きでわかります。あの発言が出た時、モニターには、彼女があの夜最後に見た送り火の形が映っていました。それは、船山の船形でした。彼女は最後の送り火は鳥居だと聞かされていた。だからそれが鳥居だと咄嗟に思い込んだ。普通、船と鳥居を間違えるなどということは考えられないことなんですけど、あの船の形は少し風変わりなものですから、深く考えずに口から出てしまったのかも知れません。ですが嵯峨野の鳥居形の送り火は、あの辺りから北を向いていたのでは絶対に見えないんです。なぜなら、五山の中であの鳥居だけが今出川《いまでがわ》通りより南にあるからです。しかも鳥居の描かれた山は低くなだらかで、鳥居はどちらかと言えば扁平についています。あれだけ離れていると、高いビルの屋上からでもなければ見えないでしょう」

　唯は一呼吸ついた。

「田上さん、相澤さんはあのインタビューの中で、こんなトンチンカンなことを言ってしまいました。相澤さんはテレビカメラに向かっていたわけですから、いちいち地図と照らし合わせることはできなかった。でもあなたなら、相澤さんが二度目に笑われた時点で、おかしいと感じて資料などをカンニングできました。その結果、相澤さんが見ていたのは鳥居ではなく船形だと即座に気づいたでしょう。いえ、それ以前に、あなたがそばについていれば、インタビューを受ける前の段階で、ひとつずつ見えている送り火を確認して、その名前を相澤さんに憶えさせるくらいの配慮はしていたはずです。それなのに、生放送でもないあの番組は、トンチンカンなまま放映されてしまいました。あなたのように有能な人がそばについていて録り直しも要求しなかったというのは、なんとも解《げ》せません」

「だから」田上は低く言った。「だからそれが何だとおっしゃるの？　そんな重箱の隅《すみ》をほじくるようなことをおっしゃるために、わざわざ東京までいらしたんですか、あなた」

「わたしが指摘したいことはひとつだけです。田上さん、あの夜、あなたは相澤さんのそばにいなかったんです。いなかったから、大事な宝物である相澤さんが笑われていることにも気づかなかったし、相澤さんが鳥居を見ていないことも知らなかった。あなたは、大文字の送り火が点火されてすぐに撮影現場を離れてしまった……これまで一度だって本番の時に相澤さんをひとりにしたことのなかったあなたが……田上さん、あなた、あの時どこに行っていらしたんでしょうか」

「そんなこと、あなたにお答えする義務はありません」

田上は静かに言って、席を立った。

「ご用件がそれだけでしたら、時間がないので失礼いたします」

唯は追わなかった。追うことまでは、唯のするべきことではない。田上がこれでどう考えるかは、あくまで田上の、人生だ。

5

「どういうつもりやねん」

風太が歩きながら唯の背中を小突いた。

「探偵が何で、頼まれもせん仕事したんや」

「仕事なんてしてへん」

「嘘をつくな、嘘を。おまえが東京まで出かけて芸能レポーターに会ったり相澤ミナミの事務所に行ったり、田上におうたりしとったんはわかってるんやで」

「そんなんうちの勝手や」

「勝手で済むか」風太は不満げに鼻を鳴らした。「なんで俺達があのマネージャーを疑ってるゆうのんがおまえにわかったんや」

「他にいないもの」

唯は、歩みを止めて深く息を吐いた。

「相澤ミナミはあの時、鉄壁のアリバイに守られていた。彼女はテレビカメラの前に立っていた。だから絶対に友沼武男を殺せない」

「動機はどうして知った？」

「知らない」唯は舌を出した。「何となく想像していただけ。相澤ミナミって女性、彼女ははっきり言って幼稚やったわ。興奮性であまり考えないでものをしゃべる。それを知的で教養のある若手女優、ってことにしてしまうんやから、芸能界って面白いね。ただ、そんな幼稚な、良く言えば自分に素直な女性なら、初めてキスシーンを演じた相手のことを好きになっちゃうことかてあるんやないんかなー、って思たん」

「ようわかったな、友沼武男が相澤ミナミと共演したことがあるて。相澤ミナミがまだ人気が出る前、デビューして初めての映画の時やで」

「うちの事務所に芸能通の探偵未満がひとりいるんよ。それはそうと、あの当時彼女は十五歳やもんねぇ。あんなハンサムな男と、たった数秒とはいえキスしたりしたら、ぽーっとなってしまうのも無理ないよね」

「けど、二人はすぐに別れた。十年も経ってから、ミナミが兄の章二と恋愛したのはまったくの偶然やったらしい。そやけど二人は婚約解消した。武男はミナミが兄の人格をけなすような理由をでっちあげて別れを演出したことが気に入らなかったんや。自分かて兄弟どんぶりやんか、何を上品ぶっとるんやて」

「そんな品のない言い方やめて。それで、武男は相澤ミナミを強請《ゆす》ったのね」

「いや強請りをかけた相手はマネージャーの田上や。ミナミが武男に送った手紙やとか、ミナミが上半身裸でベッドで寝ている写真やとか、そんなのをネタに、ミナミの事務所に金を要求したんや。武男は金に困っていた」

「よくある話なのにね」唯はまた歩き出した。「なんで田上さん、殺しまで思いつめたりしたんやろ」

「おかしな言い方なんやけどな……あのマネージャーにとって相澤ミナミは、何や特別な存在になっていたんやないのかな」

「特別な、存在」

「自分の夢を具体化する存在……娘、いや……むしろ恋人みたいなもん」

「恋人！」

「そうや。ああいう強請りはな、一度金を払ったかて、そいつが金を使い果たしたらまた始まるもんなんや。このままやと武男が生きている限り、相澤ミナミは安心できない。それだけやない、武男がこの世にいなくなれば、たとえ武男とミナミの関係が世間に判っても、死人に口無しや。そやけど武男が生きている限り、どんなえげつない中傷をされるかわからんのや」

「……恋人……」

唯にはやっと、理解できた気がした。

あの鉄壁のアリバイが存在した理由。

そう、あの夜に殺人が起こったのは偶然ではない。田上美代子は、自分の最愛の恋人である相澤ミナミに鉄壁のアリバイを用意したのだ。

そうしておいて殺人を実行する。自分のアリバイのことなど、ろくに考えもしないで。

「ミナミと武男の関係が判った以上、武男を殺したのは相澤ミナミか、彼女の事務所の人間やと俺達は考えた。そやけどミナミには完全なアリバイがあった。田上の方は、アリバイがあったとは言えない状況やった。そやけどアリバイがなかったとも言い切れなかったんや」

「彼女があそこにいなかったと証言できる人が見つからなかったのね」

「そうや。あの混雑の中で、生放送に近い形で撮影された番組やったから、スタッフは誰も人のことなど気にしている余裕がなかった。いつも相澤ミナミの本番にはいる田上がいない、などとは誰も考えなかった。誰に聞いても、いやいたと思います、いたはずです、そんな返事ばっかりやった」


唯は振り返って、風太の腕をとった。

「田上さん、自首して良かったね」

「おまえ」風太は唯の目を見つめた。「田上に自首させるために会いに行ったんか」

「自首は彼女が決めたこと。あたしはただ、彼女に友沼武男を殺すチャンスがあったことを指摘しただけ」

「それに気づいたんやったら、なんで俺に先に言わん」

「警察に先に言ったら、自首するチャンスを失うでしょう。手配されてしまってからいくら自首しても、それは自首とは認められない。出頭よ。自首と出頭では、裁判の時に大きく違って来るわ」

「余計なことしおって」

「余計なことやない」

唯は小さな声で言って、先を歩いた。

そうや、あれは余計なことやない。

探偵なんて他に何ができる？

あたしは今でも、自分が探偵という仕事を好きなのかどうかもわからないまま、お金を貰って人の私生活を調べている。こっそり後をつけ、嗅ぎ回り、嘘もたくさんついて。

それで誰かが幸せになれるのか？

不幸になることの方がはるかに多くはないのか？

十四歳で打ち砕かれた少女の夢は、形を変えて育ちつつあった。田上美代子のしたことについてはどれほど厳しく罰せられたとしても、その夢を守りたいと願った彼女の思いだけは、誰にも責められない。

彼女に告白させること、罰することは探偵にできることではない。

でも……もし貴之がそばにいたら、きっと言ってくれたのだと思いたい。

唯。余計なことなんかや、ないで。

「夏が終わるね」

唯は呟いた。

後ろから追いついた風太の肩がまた、コツンと唯の背中に当たった。

またひとつ、夏が終わる。

貴之はまだ、戻らない。

そこにいた理由

1

川面に届くほどのびた柳の枝が夜風に微かに揺れた。だが、重く湿気をふくんだ空気は澱《よど》んだままで、唯の首筋にはりついている。

唯はハンカチを取り出し、そっと首筋に当てた。

どこかで蛙《かえる》の鳴き声がしている。

また、雨が近いのかも知れない。

暖簾《のれん》をくぐって通りに出て来た蓮沼正治《はすぬましょうじ》は、いつものようにひとつ溜息をつくと肩をすぼめて歩き出した。

唯も、つられてひとつ溜息をついてから十メートルほど離れてその後ろを歩いた。

正治はいくぶん、ご機嫌なのか、低く鼻歌を歌いながら歩いている。だがそのメロディはどこかもの悲しい古い恋歌だった。唯がまだ、物心つくかつかないかの時代に流行《はや》っていた歌。

六十を越えてから恋をすることは、ある意味ではとても素敵なことだ。だが妻と成人した娘とがいた蓮沼正治には、ゆるされないことだった。

蓮沼の妻、多喜子《たきこ》は、夫の不貞を表面的には赦《ゆる》した。だがそれは、手に職を持たない女の打算だと、多喜子自身が唯に断言した。

——この歳になってから離婚してひとりで暮らすのも悪うはないと思いますけどねぇ、なにせうちのひとには今住んでる家以外に財産なんてあらしまへんがな、ない袖は振れないでっしゃろ。慰謝料は貰えへんわ生活費もろくに送って来んわでは、うちかて困りますがな。それやったらもう、赦した振りをしてうちのひとが死ぬまで、家におって好き勝手したろ、思いますんや。

多喜子は京女らしいしたたかな笑顔で、そう言い放つと唯の調査報告書をバッグにしまった。

あの調査報告書がその後の蓮沼夫妻にとってどんな役割を果たしたのかについて、唯は考えないようにしていた。探偵がそれを考えても仕方のないことだ。

だが、一年も経ってから突然、多喜子が唯の事務所に現われた。

「またですわ」

多喜子は唇をゆがめて苦々《にがにが》しげに言った。

「悪い病気が出とるようや。ほんまに腹立ちます。うちの勘は確かです、間違うたりしません。去年おたくさんにお世話になって立派な報告書を作って貰いましたやろ、あれから家族会議しましてな、娘と二人でうちのひとにきつうお灸《きゅう》をすえましたんや。お金を持たすから悪さするんやて娘も言いますし、うちのひとから通帳も取り上げましてな、年金もうちが管理するようにして、うちのひとには月々小遣《こづか》いを渡すようになりました。それなのにまぁ、性懲《しょうこ》りもなくどこかの女と……月に二万円しか渡してないのに、真新しい靴下だのネクタイだの持ってましたんや。きっと水商売の女にでもひっかかって、甘やかされて鼻の下伸ばしとるんやわ……その女の狙《ねら》いはわかってます、うちとこの土地ですわ。バブルが弾けて値段が下がった言うても、町中ですさかいに売れば五千万にはなる土地なんです。もちろん、うちのひとは死ぬまでここで暮らしたるんや言うのが口癖です、そやけど水商売の女やったら後ろにどんなヒモがついとるかわかりませんがな。知らぬ間に土地を売られて、うちら一家住むとこがのうなってしまうなんてことにならんとも限らしません。一刻も早く証拠を摑んで別れさせんと」

そんなわけで、蓮沼多喜子は再び下澤探偵事務所の客となり、蓮沼正治は唯の調査対象となった。

だが、自信満々だった多喜子の言葉に反して、正治の浮気の確証はなかなか摑めなかった。月々二万の小遣いしか貰っていないとはいえ、家賃も食費も払わないで済む隠居生活だったから、数日に一度近所の小料理屋でこうして酒を飲むくらいの遊びはできるらしい。しかしそれ以外には、正治は毎日、日課になっている碁会所通いと犬の散歩、それに時たま催《もよお》される町内会の役員の寄り合いに顔を出すほかには、ほとんど外出せずに過ごしているようだった。依頼人の多喜子自身は、連日踊りや小唄の稽古《けいこ》、主婦仲間とのカラオケなどに忙しく出歩き、娘は勤めに出ていて夜八時頃にならないと帰宅しない。

いったい、この一家に互いの顔を見る時間などあるのだろうか、と唯はひと事ながら思った。だが、それも唯の依頼された仕事とは無関係なのだ。

雨ばかり続いた五月だった。

京都は気候の厳しい土地で、気持ちよく過ごせる季節は本当に短い。五月はその、数少ない快適な日々の月。それなのに今年は雨に祟《たた》られ、いつの間にか残すところ数日。だが観光シーズンはまだ続いていて、町中に大型観光バスが列をなしていた。

「ああ、やっと来週から衣替《ころもが》えやなぁ」

唯のすぐ前を歩いていた数名の女子高校生達が大声で話していた。

「もうこの冬服、たまらんわぁ、蒸し暑うて」

「なんでうちらの学校、未《いま》だにこんなセーラー服なんやろうなぁ。もっと脱ぎ着ができるブレザーとかにしてくれたらええのに」

「校長が好きなんとちゃう？　セーラー服」

「うわぁ、いややわっ」

甲高い声で悲鳴とも笑いともつかない奇声を発しながら、女子高生達は唯の視界を横に塞《ふさ》いだ。その背中の向こう側で、蓮沼正治が振り返った。

「あんたら、月曜から衣替えかいな」

蓮沼正治は少し酔っていた。赤らんだ頬とどこかねっとりとした口調でそれとわかる。初老の酔った男に不意に話しかけられて、彼女たちは面食らい、不気味に感じたのか心持ち後じさりしながら言った。

「それがどうかしたん？　おっちゃんには関係ないやない」

「いや、そうやけどな」正治は照れているのか、困ったような笑顔になった。「……もう六月なんやなぁと思うてな」

「五月の次やもの六月で当たり前やんか」

「なんやのん、いったい」

「いややわぁ、酔っぱらいや」

「変態とちゃう」

女子高校生達は小声ながら口々に正治を非難する言葉を吐き捨て、小走りに駆け去った。衣替えかと訊いただけで変態呼ばわりされたことを、だが正治は怒ってはいないようだった。

唯は、後をつけていたことを悟られないよう、そのまま正治の前を通り過ぎた。正治の真横に唯のからだが届いた瞬間、正治の言葉が唯の耳に入った。

「そうか……六月朔日《ついたち》かいな、もう」

＊

「そんなはずはありません」

多喜子の口調は厳しかった。

「うちのひとは絶対に浮気しとります」

「ですが、お約束通りこの二週間ほどご主人の尾行調査をいたしましたが、女性の住まいに行かれたということもありませんでしたし、外で逢ったということも」

「うちに呼んだいうことは、どうです？」

「そのような気配も、まったく」

多喜子はしばらく唯の調査報告書を睨《にら》んで座っていた。だがふと顔を上げた。

「この、『ゆめや』ゆう店は」

「お宅の近くの小料理屋さんですよ」

「ああ、あの店……あそこは確か、民《たみ》さんがやってる店やったわね」

正治の行きつけの小料理屋『ゆめや』のおかみはもう七十近い年配で、正治の浮気の相手と考えるにはかなり難があった。だがそれでも唯は、念のため、川口民代《かわぐちたみよ》についてもざっと調査していた。そして正治と何かややこしい関係になっている可能性は皆無と判断した。

「民さんがうちのひとと何かあるなんてことは、ないやろしねぇ」

「その点はご心配いらないように思います」

「けど」

多喜子の瞳が鋭く調査報告書を射抜いていた。

「他に考えられんもんねぇ。探偵さん、もう一週間だけ続けて貰えませんやろか。きっとこの『ゆめや』に来る女に違いないと思います。そやから、頼みます」

唯は承知したが、正治がまた浮気をしているというのは多喜子の妄想ではないか、と内心思い始めていた。表面的には平静を装《よそお》っていたが、やはり一年前の浮気の発覚は多喜子にとってショックだったのだ。あれ以降正治に対する疑惑が多喜子の頭を離れず、ちょっとしたことを浮気の証拠だと思い込んでしまうのだろう。新しいネクタイの一本ぐらい、衝動的に買いたくなることだってあるじゃないか……

その夜、唯はまた正治の後をつけ、『ゆめや』に客を装って入ってみた。

それまでも尾行の途中で何度か入ったことはあったので、おかみの民代は唯の顔を憶えてくれていた。唯はウーロン茶と料理を二品頼んで、同じカウンターのはずれで冷や酒のグラスを傾けている正治を時折《ときおり》盗み見た。

正治はいつも通り、ひとりで酒を飲んでいた。さほど深酒をするというわけでもなく、隣り合わせたサラリーマンや常連客と一言、二言世間話を交わしながら、ちびりちびりと冷たい日本酒を飲む。つまみはイカの刺身か、塩辛程度。店にとっては上客とは言えないだろうが、それでもおとなしい酒なのでおかみには好かれているようだ。

唯は、ひとりで静かに酒を飲み、少しだけ赤らんだ顔で目を細めている正治のことが、とても愛《いと》しいように思えていた。もし生きていたら、自分の父もあんな風にひとり酒を楽しむ歳になっていただろう。

唯の父は、唯がまだ高校生の頃に心筋梗塞で死んでしまった。五十代で、ようやく定年になったばかり、再就職先の仕事に慣れ始めていた夏の初めだった。

だが、父は早死にして幸せだったのかも知れない。

もし生きていたら、唯の不幸な結婚のことで他の誰よりも心を痛め、辛《つら》い思いをしていただろうから。

この夏で丸六年。

もうそんなに経ってしまったんだ……

唯はウーロン茶に口をつけて、不意に思い出してしまった夫の面影《おもかげ》に戸惑った。

愛されていたことは錯覚ではなかった、と唯は今でもかたく信じている。夫の貴之は、確かに、自分のことを愛してくれていたのだ……あの夏も。だが貴之は、ある日突然、姿を消してしまった。そして唯は、他にどうすることもできず、ただ待ち続けている。貴之があげていた探偵社の看板の下で、慣れない探偵仕事に就く決心をしたあの日からずっと、貴之の帰りを。

唯は、サマージャケットのポケットの上からそっと、小型のデジタルビデオカメラに指で触れた。

こんなカメラを持ち歩くことにも、もうすっかり慣れてしまった。誰かの後をつけ、その人間の誰にも知られたくない秘密を探り出し、それを淡々と金に換えてしまうことにも。だがそれでもたったひとつのことには慣れることができないでいる……自分の作った報告書が一組の夫婦やひとつの家庭を壊してしまったと後で知ること。

貴之を捜す調査を同業者に依頼する決心がつかずにいるのは、きっとそのせいなのだ。あたしはまだ、壊されたくない……貴之があたしを愛していてくれたと信じていることの、時間を。

正治の控えめな笑い声が、唯の思いを中断した。

やっぱり、蓮沼正治は新しい恋などしてはいない。今は、そう思いたかった。

正治の娘はやっと二十歳、この春から勤めに出たばかりだ。結婚はまだ先のことだろう。だがその娘が嫁《とつ》ぐ日が来た時、正治はやはり、涙ぐんだりするのだろうか。そんなことをぼんやりと想像しながら、蓮沼正治と同じ店に座っているのは、なぜかとても心地よい。

自分も、少し歳をとったのかも知れない、と唯はひとりで忍び笑いをした。六十を越えた男の心に親しみのようなものを感じ始めているなんて。

だが、そんな唯の密かな心地よさは、次の瞬間には崩れ去った。

店に入って来たその女の姿に、唯は緊張した。

それは、一年前に正治の浮気相手だった女、高沢真知子《たかざわまちこ》だった。

2

高沢真知子は隣町に住んでいた未亡人で、数年前まで小学校の教師をしていた女性だった。だが持病のリュウマチが悪化して教師生活を続けられなくなり、四十代半ばで引退してひとりで暮らしていた。蓮沼正治とは、地域の交流を深めるという名目でいくつかの町内会が合同で計画したバス旅行で知り合ったらしい。

二人の浮気工作は、正治の方が腰痛の治療で隣町の病院に通う振りをして真知子のアパートに出入りするという、とても稚拙《ちせつ》なものだった。簡単な調査で正治の嘘は発覚し、唯はわずか一週間の尾行で二人の逢瀬を数枚の証拠写真に収めることができた。そして唯の報告書を武器に多喜子は正治を責め、二人の関係は清算された……はずだったのだ。

唯は、自分の甘さに思わず舌打ちした。

今更ながら、人の気持ちというのは簡単に推《お》し量《はか》れるものではない。この一年間、二人は正治の妻や娘を再び欺《あざむ》いて、こっそりと逢瀬を重ねていたのだ。

真知子はゆっくりと正治の隣に座り、他人行儀に頭を下げた。正治の自宅のそばの店ということもあって、おかみや他の常連客に二人の関係を悟られないよう用心しているのだろう。

二人は挨拶のようなものを交わした。それから、真知子がハンドバッグから、ちりめんの布にくるんだ何かを正治の方へと押し出した。小さくて細長い包みだった。正治は、頷くとそれをズボンのポケットの中に無造作に押し込んだ。

唯は、店内の喧噪《けんそう》の中に必死で聞き耳を立てた。だが、二人の会話はとぎれとぎれにしか聞こえない。

「……八時かいな……」

正治が少し声を大きくした。

「そりゃ早いなぁ」

「……それやったら……」

真知子の声は低く、ほとんど聞き取れない。

唯は諦めて、一足早く店を出て外で待つことにした。

五月のおわりでもすでに、気温が少しも下がらない。湿気を含んだ風がどんよりと漂い、日に炙《あぶ》られているわけでもないのに、じっとりと汗が首筋をつたう。

京都は、夏が辛い。

冬の底冷えもからだにこたえるが、それでも暖かくしていれば何とかなる。夏は、どうにもならなかった。裸になっても暑いものは暑く、エアコンを一日中つけていれば体調を崩す。平安の昔から、この夏を健《すこ》やかに乗り切ることが京の人々にとってはもっとも大変なことだったろう。そして今でも、人々は夏をどう乗り切るかで頭を悩ませている。

唯はハンカチで首筋を拭きながら、正治と真知子が店を出て来るのをじっと待った。

もし二人の関係が再燃していることが確実になったら、多喜子はいったいどうするのだろうか。一年前と同様に、夫にお灸をすえることで我慢して夫婦生活を続けて行くのか、それとも夫を見捨てるのか。

調査の結果で依頼人の人生がどう変わるのかは、探偵が考えることではない。それを考えていては仕事にならない。だが唯はつい、多喜子の芯《しん》の強そうな勝ち気な瞳を思い出した。

店の戸が開いた。初めに出て来たのは真知子、そしてそのすぐ後ろを正治が続く。唯はポケットからビデオカメラを取り出し、液晶パネルとレンズの角度を調節して、二人が店の前に並んで立った瞬間から撮影を開始した。ビデオだと夜間でも普通に街灯があればかなりはっきり撮影できるし、何よりもズームが簡単に使えるので尾行に距離が保てる。

唯はカメラを胸元に構えたまま、二人からかなり間をおいて歩いた。二人は、川端通りの方へと歩いて行く。正治の家とは反対の方向だ。

時刻は午後九時半。だが京都の夜は早く、川端通り沿いもすでに閉まっている店は多い。

二人は、通りを横切って鴨川《かもがわ》公園へと階段を降りて行く。鴨川公園には街灯がなく、対岸のホテルの明かりで河原の足元はかろうじて見えたが、撮影には少し明るさが足りない。唯は諦めて液晶パネルを閉じると、小さなカメラを取り出した。フラッシュを焚《た》けば二人に気づかれる心配はあるが、もし決定的な瞬間があれば、気づかれてもともかくシャッターを切ってしまわなければ……

唯は、ふと対岸に視線をうつした。その岸辺には、まるで物差しで計ったかのようにほぼ等間隔に間を空けて、恋人達がからだを寄せ合って座っている。遠くからでも彼等が抱き合ったりキスをしている様子が見て取れる。だがそうした小さいが情熱的なシルエットの前を、初老の男と中年の女とは、どこか遠慮がちに寄り添って歩いて行った。

二人の恋は、本物なのだ。

唯は、暗がりの中でふたつの背中を見つめながら、胸がつまるような辛さを感じていた。

対岸の恋人達のような決定的瞬間をあえてつくらないよう、二人は自分達の気持ちをじっと押さえて、ただ歩いている。

一年前、唯は蓮沼正治の「浮気」を調査した。だが唯が掘り出して多喜子の前に晒《さら》してしまったものは、「浮気」ではなかったのだ、きっと……

正治の手が伸びて、真知子の手をとった。

二人の手はほんの数秒間、繫《つな》がれた。それから、真知子はその手をほどいて立ち止まった。

「ここから上がらして貰います」

真知子は正治に向かって頭を下げ、川端通りへと上る階段の方にからだの向きを変えた。

「もうバスはないやろ」

正治の声は、とても淋しそうに聞こえた。

「タクシー捕まえるんやったら、丸太町《まるたまち》まで歩いた方がええんやないか」

「ここからで大丈夫ですわ……今夜は、わがまま言うてすみませんでした。けど楽しかったわ……おおきに」

「真知子ちゃん」

正治は、階段を上りかけた真知子に向かって言った。

「朔日に、行こうかな」

「そうしたらよろしいわ。朝が早《は》うて大変ですけど」

真知子は朗《ほが》らかに言って、階段を上った。もう振り返ることもなく、正治もそれ以上声はかけずに。

ひとりになった正治は、しばらくその場に立ってじっとしていた。だがやがて、回れ右すると今まで歩いて来た道をゆっくりと、多喜子の待つ家に向かって引き返した。

正治は、あの歌を口ずさんでいた。あの、三十年も前に流行った、もの悲しい恋の歌を。

＊

六月朔日の朝、唯は蓮沼家の前にいた。

鴨川での正治と真知子の逢瀬はあまりにも短く終わり、多喜子に二人のことについて報告するには材料が少な過ぎた。だが二人がその日にどこかに行く約束をしたことは確かだろう。それも、朝から。『ゆめや』で小耳に挟んだ会話では、朝の八時にどこかで待ち合わせているようだった。

午前七時半に、正治が玄関先に姿を現わした。意外なことに、飼い犬を連れている。犬の散歩を口実にするつもりなのだろうが、犬を連れて真知子といったい、どこに行くのだろう。それとも犬はどこかに預けるつもりなのだろうか。

唯は、犬に気づかれないよう注意しながら正治の後を追った。

正治は、いつもの散歩コースである鴨川公園に降りてそのまま北へと歩き出した。河原に真知子の姿はなく、正治と飼い犬はのんびりと鴨川に沿って北へあがって行く。二十分以上、たっぷりと正治は歩き続けた。もう、約束の八時まで十分もない。そろそろ目的地がどこかわかってもいいな、と唯が思い出した途端、正治は階段を上って通りに出た。

そのまま横断歩道を渡り、住宅街の中へと歩いて行く。

唯はカメラを片手で構えたまま、正治の背中を追って歩いていた。

不意に、正治が前のめりに倒れ込んだ。

膝をつき、胸を押さえるように腰を屈めている。

唯の脳裏に、不吉な稲妻が走った。と同時に、主人の異変を察した犬が猛烈に吼《ほ》え出した。

「蓮沼さんっ！」

唯は駆け出した。尾行調査の最中に尾行対象に声を掛けてしまうなどというのは、探偵失格だ。だがそう囁く内心の声を、唯は無視した。

唯は、ずっと以前に同じような仕草をした人間を見たことがある。前のめりに倒れ込んでそれきり動かなくなってしまった、父を。

「蓮沼さんっ、しっかりして、しっかりして下さいっ！」

唯は蓮沼のからだを抱き起こしながら、片手でポケットから携帯電話を取り出し、一一九番をコールした。

3

「おおきに」

蓮沼多喜子は、仏壇の前から座ったまま向きを変えた唯に、丁寧に頭を下げた。

「ほんまに、探偵さんにはお世話になりました。こんなみっともない最期《さいご》やったけど、まあこのひとも惚れた女に会いに出かけて心臓が停まったんやから」

多喜子は諦めたように笑った。

「男としてはいい人生やったんかもわかりまへんなぁ」

「でも、あの朝蓮沼さんが真知子さんに会いに行ったのかどうかは……」

「他に考えられますかいな」

多喜子は、幾分若い頃の、正治の笑顔を仏壇から下ろして眺めた。

「そんなに惚れてたんやったら、なんで一年前にうちと別れよう言わんかったんやろなぁ。男はんの考えてることは、おなごにはわからん……あの時はこのひと、うちの前に土下座してたな、わしが悪かった、堪忍してくれ、もう真知子とは二度と逢わんさかいに、言うて手ぇ合わしましたんやで。そやからうちかて、浮気やったらしゃあない、今更ひとりで暮らすのんも面倒やて、赦したったんや。そやのに……」

気丈な多喜子の瞳が、心なしか潤《うる》んでいるように見える。

その瞳の中に、唯は多喜子の正治への思慕を汲み取った。

夫婦は夫婦。

そんな言葉が、唯の頭にふっと浮かんだ。


蓮沼家を出てから、唯はあの朝と同じコースを歩いて正治が倒れた住宅街まで行ってみた。もうあれから何度も何度も、そうして歩いているのだが、どうしてもあの朝、正治がどこへ行こうとしていたのか突き止めることができないでいる。

もちろん、これは仕事ではない。蓮沼多喜子からの依頼は、正治の死で終了した。だが唯は割り切れずにいた。あの朝正治が倒れたその住宅街には、真知子に結びつくものが何ひとつなかったのだ。

いったい、正治は朝の八時に何をしようとしていたのだろう?

その町は、そこそこに大きな家が建ち並ぶ少し高級な住宅街の中に、昔ながらの小さな商店がぽつりぽつりと残っている、半端《はんぱ》な町だった。上賀茂《かみがも》の辺りにはこんな町並みがよくある。そうした商店は老舗が多い。すぐき漬けだけを専門に売る漬け物屋、山椒《さんしょう》の専門店、古い和菓子屋、豆腐の有名店。唯はそんな店も一軒ずつ回って歩き、正治と真知子との逢瀬と繋がる何かが見当たらないかと探してみた。だが、何もない。

自分の勘違いだったのだろうか？

あの時、六月朔日だと思ったのは早とちりで、朔日は朔日でも七月か八月のことだったのか？

だが、唯は正治が六月朔日に、何かこだわりを持っていたことを確信していた。女子高校生に思わず声を掛けた時の正治は、確かに六月朔日と呟いたのだ。

六月朔日。衣替えの日。辛い夏が始まった朝。

結局、真知子に直接訊いてみる以外にはないのかも知れない。だが真知子の消息は、鴨川の土手で正治と握り合った手を離して去って行って以来、わからなくなっていた。正治の葬儀にも姿を現わさず、『ゆめや』の民代に尋ねてみても噂ひとつないと言う。

唯は、迷ったあげく決心し、市役所で真知子の住民票を調べた。仕事でもないのにただ自分の気持ちをすっきりさせたいという理由だけで、そこまでして個人のプライバシーを暴くことには強い抵抗を覚えた。だがそれでも、唯には納得できなかったのだ。あの朝、もし真知子が正治とどこかで逢う約束をしていたのなら、なぜその時刻に正治が死んだのに、真知子は姿を見せずにいるのだろう。

だがその答えは、住民票が京都市から他府県へと移転されていることで、半分はわかった。

真知子は結婚していた……六月朔日に。

＊

唯は、どう答えていいかわからずに、母親によく似て勝ち気な瞳をしたその娘を見つめていた。

蓮沼亜希子《あきこ》、正治の忘れ形見だった。

「うち、許せへん……このままではお父ちゃんが可哀想過ぎて」

亜希子は涙ぐんでいた。

「母はもうやめ、もうええて言います。でも、あの女は……父と約束したその日に結婚式挙げてたなんて……父が死んでも葬式にも来んと……」

「亡くなられたのはご存じなかったようです」

「そんなん、よけいひどい！　父はあの朝、起きた時にちょっと胸痛いて言うてたんやそうです。母が、それやったら出かけんときて止めたのに、父は、いやちょっと買い物して来るだけやから言うて……あの女との約束やったから、父は出かけたんやないですか。それであんなことになったのに……なんで、なんで自分が他の男と結婚する日に父と約束なんか……」

「そのことなんですが」

唯は亜希子をなだめるように静かに言った。

「わたしも電話で真知子さんには確認してみました。ですが、結婚式の日に蓮沼さんを呼び出した覚えなどないと……」

「でも、あなたは聞いたんでしょう？　二人が約束するの、聞いたんでしょう！」

「そのこともお母さまにはご説明差し上げました。わたしが耳にしたのは二人の会話のごく一部でした。本当に六月朔日に二人が逢う約束をしていたのかどうかは、わからないんです。それに仮に二人が逢う約束をしていたのが本当のことだったとしても、その約束を破ったということだけで、何かの請求を真知子さんに対して起こすことは無理だと思いますよ。お父様の死因は心筋梗塞とはっきりわかっているわけですし……」

「不倫してたんやから、母とわたしがあの女に慰謝料を請求することはできるはずやわ」

「それは可能かも知れません。少なくとも一年前に二人が関係を持っていたことは事実ですから、その関係が続いていたかあるいは、最近復活していたと立証できれば。ですが……もしお母さまがそれをお望みでないのなら、慎重にお考えになった方が……裁判になれば、他人には触れられたくないことも人前に晒さなければならなくなりますし」

亜希子は顔を覆って啜り泣いた。

真知子は、昨年正治との関係が多喜子に知れてしまった後に見合いをして、数ヶ月後に婚約していた。それは正治ときっぱり別れようとする真知子の意志の表われだったに違いない。だが結婚式の直前に、真知子は正治を『ゆめや』に呼び出した。その間の一年に二人の関係が再燃していたのかどうかは、今となっては藪《やぶ》の中だった。真知子は否定しているが、多喜子はそれを信じていない。そして唯は、少なくとも二人の心は、その一年の間にも互いを求めていたのだろうと思っている。

あの夜、ほんの数秒の間だけでも、正治と真知子は手を握り合っていたのだ。あの時に感じた、それが本物の恋なのだという感触は、疑う余地がない。

「ともかく、一度真知子さんに会ってみます」

唯は、まだ泣き続けている亜希子に自分のハンカチを貸してやりながらそっと肩を叩いた。

「電話ではあまり詳しく聞くことができませんでしたから。あなたが慰謝料を請求したいと思っておられることも告げて、その上で真知子さんの弁明をちゃんと聞いて判断したらどうでしょうか」

「ほんまのことなんか、言うわけないやないの」

「その判断はとりあえずわたしに任せて貰えますか？　彼女が嘘をついていると感じたら、この一年間にお父様と真知子さんが会っていた事実があるのかどうか、それを調査することもできますから」

亜希子はまだ悔しさからか、啜りあげていたが、唯の言葉にこくりと頷いた。

4

真知子は約束の時間丁度に唯の前に現われた。

新婚生活はそれなりに順調なのか、顔色は良く、頬はふっくらとしている。

唯は名刺を渡し、真知子の分の飲み物を注文した。

「蓮沼さんのお嬢さんには……奥様にも、申し訳ないことをしたと思っています。そやから、お二人がどうしても裁判にとおっしゃるんやったら、仕方ないかとも思っております」

真知子は、唯の代わりに蓮沼母娘が目の前にいるかのように、深々と頭を下げた。だが顔を上げた真知子の唇には、ある種の決意があった。

「ですけれど」

真知子は飲み物に口をつけてから切り出した。

「わたしも今はまた人の妻になっております。奥様とお嬢様に申し訳ないゆう気持ちは本当ですが、何もかもお二人のおっしゃることをそのまま認めるわけには参りません。何と思われようと元はと言えばわたしのあやまちですので悪いのはわたしです。ですが、わたしと正治さん……蓮沼さんとは、本当に一年前にお別れしているんです。今の主人も、そのことは承知しております。見合いをしておつき合いを始めました時に、わたしの方から打ち明けてございます」

「それでは、この一年間に正治さんとお会いになったことは」

「一度きりです……式の二日ほど前の晩でしたか……わたしの方からお願いして、正治さんに会っていただきました」

「小料理屋さんの、『ゆめや』さんでですね」

真知子は頷いた。

「実はわたし……正治さんにお借りしたままお返ししていないものがあったんです。式を前にして引っ越しをしておりました時に、それに気づきました。それで、あの晩お会いしてお返ししたんです」

「さしつかえなければ、それが何だったのか教えていただけませんか」

真知子は微笑んだ。

「とてもつまらないものです……お扇子《せんす》です」

「扇子というと、あの？」

「はい……一年前の祇園祭の宵山《よいやま》に、二人で出かけた時、人混みに押されてわたしが手にしていたお扇子が落ちてどこかに行ってしまいました。それで正治さんが、ご自分のお扇子を、男持ちやが良かったらつこうてと貸して下さったんです。お返ししようと思っていた矢先に……」

唯は思い出した。唯が多喜子からの依頼で二人の関係を調査したのは、祇園祭から幾日か経った暑い盛りだった。二人の関係はそれから間もなくして、唯の調査によって終わりを告げたのだ。

「引っ越ししようと整理していて机の引き出しに入れたままやったそのお扇子を見つけて……どうしようか、郵便で送ろうかとも考えました。けど、もう水無月《みなづき》になるなぁ、暑うなる、そう思うたら、昨年の夏に正治さんがあのお扇子がなくてさぞや困らはったやろ、そう思えて……せめて一言、お詫びを申し上げたいと……」

あの細長いちりめんの布にくるまれた包みは、扇子だったのだ。

だが、それを返したいというのは真知子のささやかな口実だったのだろう。真知子の正治への想いは、一年経っても薄れてはいなかった。だが真知子は他の男の元へ嫁ぐ決心をし、ただ最後の最後に、正治の顔を一目見たいと願った……

「お話は、わかりました。今の事情をお嬢さんにお話しして、それでも裁判にするお気持ちがあるかどうか確認いたします。ですがわたしは弁護士ではありませんし、最終的にはお嬢さんのお気持ちということになりますが」

「よろしくお願いいたします……わたしもしなければならない償いは、させていただくつもりでおります」

「あとひとつだけ、確認させていただきたいのですが。六月朔日の朝、蓮沼さんと逢うお約束をしていなかったというのは、本当のことなんでしょうか」

「そのことでしたら、わたしも驚いております」

真知子は初めて、戸惑いをその瞳に浮かべた。

「あの日はわたしの挙式の日でした。挙式とは申しましても、主人もわたしも再婚、神社で三三九度を交わした後はごく内輪《うちわ》で食事をして終わりという簡素なものでしたが、それでも式は主人の実家のある名古屋で挙げましたので、朝早くから名古屋の方に移動しておりました。それなのに正治さんと何かの約束をするなどというのはあり得ないことです」

「ですが、奥様もお嬢様も、あの朝蓮沼さんが上賀茂の町中に何の用があって出かけたのか知らないとおっしゃっておられるんです」

「上賀茂……？」

真知子は大きく目を見開いた。

「あのひと……正治さんは上賀茂で亡くなったのですか？　わたし……ご自宅で倒れられたのだとばかり……」

「朝八時少し前に、飼い犬を連れて上賀茂を歩いていて倒れられたんです」

「八時……少し前……」

真知子はゆっくりと、水の入ったグラスを手に取り、ごくっと飲んだ。

それからしばらく、真知子は下を向いて黙っていた。唯は真知子の言葉を待った。

やがて真知子は顔を上げた。

「正治さんが亡くなられた場所に、奥様は行かれたことがおありなんでしょうか」

「さあ……行ってみたという話は、わたしは聞いていませんが」

「……そうですか」

真知子は、深く一度、頷いた。

「わたしの口から申し上げればとても簡単なことやと思います。そやけど……わたしの言葉では、奥様は信じて下さらないかもわかりません。ですから……大変ご面倒なのですが、奥様を、正治さんが亡くなられた辺りに一度お連れしてみていただけませんでしょうか」

「それは構いませんが、でもどうして？」

「きっと、奥様はご自分でお気づきになられると思います……なぜあの朝、正治さんがそこにいたのか、その理由を。わたし……わたしの口から申し上げずにいることが、奥様へのせめてものお詫びではないか、今はそう思います」

真知子の言葉の意味が、唯にはわからなかった。だが真知子はもうそれ以上、そのことについて自分から話す気はないようだった。多喜子にならきっとわかる、真知子はそう信じている。

唯は、多喜子をあの場所に連れて行くと約束して真知子と別れた。

＊

「来たなかったわ」

多喜子は、聞き取れないほど小声で呟いて、正治が倒れた路上を見つめた。

「なんや……辛うて」

「すみません。でも真知子さんは、ここへ奥様をお連れすればあの朝のことが奥様におわかりになると」

多喜子はふうっと溜息をついて笑った。

「もう、どうでもよろしいわ。亜希子はあんな風に言うとりますけど、うちはもう、ややこしいことは考えたないんです。うちのひとはもう浮気したくてもでけんところに行ってしまわはったし。あの朝、うちのひとが何を考えていたか知ったとしても、あのひとは帰って来んさかいに」

多喜子はそれでもしばらく、アスファルトの道の上をじっと見つめていた。それから、首を横に振って歩き出した。

「なんもわからしまへんなぁ。ここに来たらうちのひとがあの世から何か言うてくれるのかいな思うとりましたけど、どうやらあのひとは、もううちのことは忘れてしまわはったみたいや」

多喜子が笑いながら手招きしたので、唯も諦めてその場から歩き始めた。

「この辺りは初めて歩かれるんですか」

「そうやねぇ……なんやずうっと昔に、来たことがあるような気もするんやけど。この道まっすぐ行ったら上賀茂神社やないかしら」

多喜子が小さな標識を指さした。

「ああ、思い出したわ……もう何十年も前や……うち、ここからそんなに遠くないところにある漬け物屋に勤めておりました。いや、恥ずかしいわ、まだ二十歳かそこいらの頃でしたわ。それでこの道は何度か通ったことがありました……この先に、おいしいて評判の和菓子屋さんがあったんです……そこの和菓子が好きで……」

突然、多喜子の足が停まった。多喜子は道の前方を、あたかも正治の幽霊でも現われたかのように、大きく見開いた目で凝視《ぎようし》している。

その次の瞬間、多喜子は走り出した。唯も反射的に後を追った。多喜子は百メートルほど一気に走った。路地は曲がりくねっていて、視界が開けたところに和菓子屋の古びた看板が出ていた。

「あったわ……まだあった……ここや」

多喜子は店のそばで立ち止まり、瞬きもせずにその店のガラス戸に貼られた紙を見つめている。

『水無月売り切れました』

多喜子の目から、大粒の涙が溢れ出した。

「水無月や……あのひと……これを買いに……あほや……胸痛い言うてたのに、ほんまに、あほや……」

水無月。

六月を意味するその名が付けられた和菓子。

唯も、愕然としてその貼り紙を見つめた。

京の習わしで、六月に水無月という名のその菓子を食べると暑気払いになり、夏が健《すこ》やかに乗り切れると言われている。水無月は生菓子で、作り置きすると味が落ちる。名の通った店では朝の内に売り切れてしまうこともあると聞く。

正治は誰のためでもなく、妻の多喜子のために、その暑気払いの菓子を買おうとしていた。おそらくは、ずっと昔に妻の口から聞いたことのあった店の名を、たまたま二日前の晩に会った真知子にそれとなく尋ねてみたのだろう。菓子屋の情報などはさすがに、女の方が詳しい。真知子はその店を知っていて、人気のある水無月を買うなら朝一番に行かないと、と正治に教えたのだ。

真知子がその日、名古屋で挙式することを正治に話していたのかどうかは、わからない。だがそれを知っていてもいなくても、正治にとってその朝重要だったことは、朝早く和菓子屋に出かけて妻のために水無月を買うこと、ただそれだけだったのだ。

夫婦は、夫婦。

唯は、涙を流しながら和菓子屋を見つめている多喜子のそばを静かに離れた。

唯の報告書では壊せなかった、もの。

寄り添って暮らした歳月の重みが、唯自身は夫と結ぶことのできなかった絆《きずな》の痛みが、唯の額《ひたい》に浮かんだ汗を、そっと冷やした。

砂の夢

1

「なんでやねん」

兵頭風太の声がまだ耳の中に残っていた。

「なんでそないに突っ張らなあかんねん。もうええ加減にしいや。俺かてな、かばい切れんようになるかもわからんのやで。軽蔑《けいべつ》されるかも知れんけどな、俺も自分の身ぃはかわいいんや」

そんなん、わかってる。

唯は思い出し笑いをしていた。

そんなん、わかってるやん。誰かてそうやもん。あんただけやない、風太。

私立探偵なんかやめ。

風太は唯に会うたびにそう言う。唯の身を心配して言ってくれているのは充分、わかっていた。

商売はかつかつ、とても繁盛しているとは言えない。同業の繋がりから応援を頼むことはできても、基本的にたったひとりで開いている事務所だった。無謀なのはわかっている。今どき、探偵がひとりだけの探偵事務所なんて聞いたこともない。だがもう一人探偵を雇《やと》う余裕などなかった。それに、事務所を大きくしたいとも思っていない。ただ続けていたいだけだった。貴之がいつか、事務所に戻るまで。

一昨日は、遂に留置場に入れられた。府警捜査一課の刑事である風太が手をまわしてくれなかったら、何かの罪で起訴されていたかも知れない。頼まれた家出人捜しをやっていて、ただ偶然、その家出した少年が京都府警が追っていた集団暴行事件の容疑者のひとりだったというだけなのだ。そんな偶然はいくらだってある。だが警察は、私立探偵が容疑者の周囲をちょろちょろしたのが気に入らなかったらしい。

風太には言わなかったが、激昂した少年課の刑事に肘《ひじ》で胸を突かれ、青黒い痣《あざ》が乳房に残った。

突っ張って生きて。生きて突っ張って。

それでいつか、貴之が戻って来ると誰が保証してくれるのだろう。

学生時代から唯のそばにいてくれた、口は悪いけれど優しい風太。

もうそろそろ、風太に甘えるのも限界だろう。風太には家庭がある。妻と、育ち盛りの、子供たち。

新幹線を降りてレンタカーを借りた。

新潟に来るのは三度目。だが過去の二度ともスキー旅行だ。仕事ではこれが最初だった。

雪国、と簡単に思われている新潟も、新潟市の近辺は意外なほど雪が少ない。豪雪地帯は直江津《なおえつ》から長野県の方向に向かった、新井《あらい》のあたりだ。師走《しわす》の新潟の町は少し冷やっとした程度で、さほど寒いという印象は受けなかった。京都の方がからだの芯に響くような寒さ、いや、冷たさがある。

約束したファミレスの場所がわからず、駅の周辺を二度ほどまわった。ようやくファミレスの駐車場に車を入れた時には、もう約束の時間の二分前だった。余裕を持って着くようにしていたのに。

店内に駆け込むと、赤い髪をした女が片手をあげた。

「すみません、遅くなりました」

「まだ二十秒ある」

川崎多美子《かわさきたみこ》は煙草《たばこ》を灰皿に潰《つぶ》した。そして、すぐに二本目に火を点《つ》けた。

「でも遅いいね、確かに。時間には常に余裕を持つってのは、うちらの商売の基本中の基本」

「申しわけありません」

「突っ立ってないで座って」

多美子はテーブルの上にファイルの束をどん、と置き、注文をとりに来たウェイトレスには、ホット、と短く告げた。唯の好みなど知ったことではないのだろう。

「この前の仕事は、まあ満足してるわよ。あんたがそこそこやれるってことはわかった」

「ありがとうございます」

「だから来てもらったんだけど。依頼人についての情報はその青いファイルの中。依頼人の身元調査は済んでるからそっちは心配しなくていい。サポートは二人、でもメインはあんただから。ターゲットの情報はその黄色のファイル。えっとね」

多美子は声をひくめた。

「万一の時は警察に後を任すってことで話はついてる。ヤバイと思ったらそこまでにして」

唯は頷《うなず》いた。喉が鳴りそうだった。

「年齢的にもあんたならイケそうだから来てもらったんだし、手段は選ばなくていいからね」

多美子の吐き出した煙が唯の顔にかかった。

「寝ちゃっていいから。その方が手っとり早いかもしんないね」

多美子のその言葉を聞くのは初めてではなかった。

「あたしは大手っぽいお上品なやり方って好きじゃないのよ。時間かかるから。引き延ばせば金にはなるけど、カタつくのが早いのがうちの事務所のウリだからね。あんたもそのつもりで、パッパッとキメてちょうだいよ。これ」

封筒が唯の目の前に放り出された。

「早くしまって」

唯は慌《あわ》てて封筒をポシェットに突っ込んだ。手触《ざわ》りで、百万はあるとわかる。

「必要なもんは用意してある。領収書はいらないって依頼人が言ってるし」

多美子は腕時計を見た。

「よし。じゃ、行って。あたしは来週また来るけど、携帯にはいつかけてもいいからね。サポートにはあんたが指示出してよ。あんたの言う通りにしろって言ってあるから」

多美子は笑った。

「二人とも、あんたよりキャリアあるんだけどね」

指示書に従って、これからしばらく暮らすことになるそのアパートへと向かった。海が間近に見える、桃山《ももやま》町にある小さな木造二階建てのハイツだった。名前は「しおさい荘」。古風な付け方だ。

唯のために用意されていた部屋は二階の真ん中で、ターゲットの部屋はその右隣だった。鍵をつかってドアを開けると、少し黴《か》びたような臭いが鼻に届いた。荷物はダンボールに入れて運びこまれている。引っ越し屋のダンボールだ。多美子の仕事は芸が細かい。

川崎多美子が経営している私立探偵事務所は、本部が東京にあるが、多美子の実家が新潟だったことから新潟にも支所を持っていた。川崎調査事務所は調査員が常時十数名はいる中規模の探偵事務所だが、業界では、ハイリスク・ハイリターンの事務所として知られている。暴力団絡《がら》み以外の調査ならば、かなり危ないものでも引き受ける。

今回のターゲットは後藤啓一《ごとうけいいち》、三十七歳。

唯はダンボールを机がわりにしてファイルを開いた。

後藤は半年前まで都内の印刷会社に勤務していた。勤務ぶりはしごくまじめ。過去に問題行動の前歴はない。独身。あまり社交的な性格ではなく、会社でも特に親しい友人はいなかったが、誰かとトラブルを起こすこともなかった。社内での評価は割合と高かった。

半年前、後藤は突然会社を辞めた。一身上の都合により退職。上司は引き止めたが、後藤は次の勤め先が決まっていると話した。しかし、後藤がその後どこかの会社に勤務した形跡はない。

退職とほぼ同時に、後藤は住んでいたアパートも引き払って姿を消す。

一ケ月と少し前、後藤が新潟市内で暮らしているのを、偶然新潟に出張に出た元の同僚が発見。その情報を都内の私立探偵事務所が入手して、今回の特殊調査依頼となった。

依頼人の名前は、菅原将夫《すがわらまさお》、四十七歳。その若さで一部上場企業の専務取締役を務める極めて有能な企業人であり、資産家でもある。旧家の出で、妻には早く死に別れた。一人娘の由紀恵《ゆきえ》は今年十七歳。私立の名門女子高校に在学中。ただし、今は学校に通っていない。

由紀恵は半年前の雨の夜、赤い傘をさして自宅近くのコンビニに買い物に行くと言って家を出て、それ以来消息が摑めない。

書き置きがあった。

『おとうさん、ごめんね。由紀恵は大丈夫です。もう大人だから、自分がしていることはわかっています。好きなひとがいます。でもきっとおとうさんはゆるしてくれないでしょ？　由紀恵はもう結婚できる年齢になりました。でもあと一年経たないと、おとうさんの同意が必要です。一年間、姿を消します。元気で生活しますので、本当に心配しないで。十八歳になったら、好きなひとと結婚しておとうさんに会いに戻ります。一年間だけ、由紀恵のわがままを聞いてください。お願い』

唯は、ファイルの中から由紀恵の写真を取り出した。

美少女だった。

校則が厳しくてカラーリングがゆるされないのかも知れないが、今時、漆黒《しっこく》の長い髪はそれだけで少女の顔だちのよさを際立たせる。聡明そうな広い額《ひたい》。大きいがきりっとした目。かわいらしい鼻と少し厚みがあって不思議に官能的な唇。流行《はや》りの色白ではなく、いくらか小麦色がかった健康的な肌色をしている。細身のようだが、上背はありそうだ。

美少女グラビアにそのまま載《の》せても充分通用しそうだった。

十七歳の恋。

なぜ、十代の恋はこんなにも急いで結婚という結論を目指すのだろう。たぶん、ひとつ屋根の下で暮らすことに憧《あこが》れるから。一分一秒でも離れていたくないから、そばで暮らしたい。


由紀恵にはフィアンセがいた。宮《みや》家と親戚筋であるらしい名家の息子。婚約者は二十八歳で、すでに父親の経営している一部上場企業の平取締役に就いている。写真はないが、資料によれば身長百八十一、東大を出ていて、スポーツ全般が得意。中でもテニスとスキューバダイビングが趣味。顔なんてなくても女なら結婚してみたい男、のようだ。

何が不足だったんだ、と、由紀恵の父親は怒鳴ったらしい。

恋は不意の錯覚の産物。身長や大学やその他の条件も、一瞬の錯覚の前では色褪《あ》せて平凡なものになる。

それと。

唯はひとりで笑った。

整い過ぎていたのよ、何もかも。たった十七歳で、女が憧れるものすべてを由紀恵は持ってしまった。飢《う》えのない、渇《かわ》きのない十代は退屈の地獄だったろう。

菅原は、娘の駆け落ちを婚約者にもその親にも内緒にしておきたかった。他の男と逃げて汚れた娘では嫁にもらってくれないだろう、と父親は考えたのだ。

娘の幸せがどこにあるのか、父親には、もうわからなくなっていた。

警察には連絡できず、菅原は私立探偵を雇った。そしてようやく、手がかりを掴んだ。娘の親友だった女の子が持っていた携帯電話。由紀恵は一度だけ携帯を忘れて外出し、その子の携帯を使って「恋人」にメールを送ったのだ。その送信記録が唯一の手がかりだった。親友の子がなんとなく面白がって、送信記録を「保護」状態にしておいてくれたので残されていた、細い糸だった。

引っ掛かってくれるかどうかは賭《か》けだった。仕掛けは単純。携帯に偽のアンケートメールを送る。アンケートに答えてくれれば、シャネルのアクセサリーを抽選でプレゼント。設問はなんでもよかった。プレゼントの送付先住所が問題だった。

メールアドレスの持ち主は、引っ掛かった。一緒にいる由紀恵にシャネルのアクセサリーをプレゼントしてやりたい一心か。

書き込まれていた住所に、宅配便を装って調査員が向かった。その住所に住んでいたのは松木哲也《まつきてつや》という男で、由紀恵のことは知らないと言い張った。メールのことを問いつめると、元の会社の同僚から電話があり、もしシャネルのアクセサリーが届いたら預かっておいてくれ、と言われたと答えた。

同僚の名前が、後藤啓一だった。松木は後藤の現住所を知らなかった。そこで、調査の糸は切れた。


先々月、遂に、糸は再び繋がった。新潟市内で後藤が目撃されたのだ。

菅原が依頼していた大手の調査会社は、新潟に支部を持たなかった。川崎事務所に白羽の矢が立った。調査の下請け。唯は、その下請けの下請けになるわけだ。

川崎事務所は仕掛け調査、特殊調査を得意としている。

目撃情報からたどって後藤の現住所がわかったのが今月の頭。しかしその桃山町のアパートに、由紀恵の姿はなかった。

悪い徴候だった。

三十七歳の、平凡な男。身長百七十ちょうど、中肉。顔だちに際立った特徴もない。別に醜《みにく》いわけではないが、ハンサムと呼べるほどでもないだろう。十五年も真面目に勤めていたのでいくらかの貯金はあるはずだ。金のかかる遊びはしない男だったはず。だがもちろん、金持ちというほどではないに違いない。思いもかけず手に入れてしまった、輝く宝石のような十七歳の少女を、よほどの理由がない限り簡単に手放すとは思えなかった。一年由紀恵の親から逃げおおせれば、妻になると言っているのだから、その宝石が。

二人の間に何があったのか。

後藤と別れたのなら、どうして由紀恵は家に戻らないのか。

調査の危険度ランクがはねあがった。

そして、川崎多美子は唯にお鉢をまわしたわけだ。

ひと通りファイルを読んだが、唯の感想は変わらなかった。由紀恵の居場所は依然として後藤が知っている。そしてそれを聞き出すのが自分の仕事。だが、由紀恵を父親のもとに返すことができるのかどうかは……

指示書によれば、後藤の部屋にはすでに盗聴器もセットされ、ここ一ヶ月の後藤の生活は綿密に調べ上げられていた。

後藤はまだ定職に就いていない。退職金は共済も合わせると三百万以上出ていたし、それまでの貯金もあるだろうから、半年くらい働かなくても食べてはいけるのだろうが。しかし後藤の生活は、生活、と呼べるほどの活気も秩序もない、まるで生きながら死を待つような生活だった。

昼前にアパートを出て近所の公園に行き、パンのひとつかふたつを齧《かじ》りながら夕方までベンチに座っている。それだけなのだ。たまにスーパーに寄ることもあるようだが、食材はほんのわずかしか買わない。

夜は何をしているのか、ほとんど音をたてずに明け方近くまで起きているらしい。盗聴器からは本をめくるような音が時折聞こえる、と報告がある。


数年前、似たような光景を追い掛けていたことを、唯は思い出した。

その時のターゲットは女だった。彼女は毎日毎日、仕事もせずに谷間の観覧車に乗っていた。いちばん高いところまでゴンドラが昇っても、山肌しか見えない観覧車だった。彼女がどうして毎日観覧車に乗り続けるのか知りたくて、ずっと彼女を見つめて過ごした。

彼女が観覧車に乗り続ける理由を知った時、唯は泣いた。

あれから、数限りない秘密を暴いて、数限りない悲劇と喜劇を眺《なが》めて、何度か泣いた。それでもあの時、涙の向こうに見えた桜の花びらの色は、もう永遠に自分の心から消えることはないだろう。

ただひとつわかっていること。それは、たぶん、後藤も絶望している、ということだった。

あの時、観覧車に乗り続けていた女のように。

2

封筒の中には百五十万が入っていた。下請け仕事なので、経費も込みでそれでやってくれ、ということだ。領収書が不要ということは、税金の申告をせず済む金、ということになるが、唯はその点慎重だった。脱税なんかで事務所を潰《つぶ》すわけにはいかない。

川崎事務所は、本当に危ない仕事には下請けを使う。万一のことがあっても、川崎事務所は何も知らなかった、で逃げられる。今度も、後藤の部屋に由紀恵がいなかった時点で、仕事は通常の家出人捜索から、重大犯罪と関連がある「危険な仕事」に変化していた。それで自分がわざわざ京都から、呼ばれたのだ。

方法は不問。ターゲットとどんな関係になろうと川崎事務所は干渉しない。

多美子はとにかく結論が早い方がいい、と言っているのだ。どうせ最悪の結末を迎えるのであれば、早く迎えた方がいい、と。

もちろん、唯はそうしたやり方をするつもりはなかった。

貞操の問題ではなく、そうしたやり方に頼っていては、結局、探偵としては半端なところに留《とど》まったまま、ずるずると堕《お》ちて行くだけのような気がしていたからだ。

貴之が失踪してもうじき十年。もう貞操などということは考えなくなっていた。考えてもむなしいだけだったから。

生きているなら、貴之は必ず自分を裏切っている。それだけは、どんなに見たくなくても見なくてはならない事実だった。それ以外の理由で失踪したとしたら、生きていて唯に連絡して来ないはずはないのだ。貴之が連絡して来ないのは、他の女と一緒にいるから、それ以外には考えようがない。

最初の数年は、何か他に理由があるはずだとずっと思い続けていた。目の前の真実から目をそむけて、ただただ、夫を待ち続ける健気《けなげ》な妻でいることで、自分の内側のどろどろと形にならない何かを、無理に形にしていたのだ。

だがもう、それを続けるには時が経ち過ぎた。

自分はなぜ、探偵事務所なんて続けているんだろう。

貴之が戻って来た時、別に事務所がなくたって貴之は驚かないだろう。それなのに、どうして探偵事務所を続けていることに、自分はこだわるのか。

結局、何もなかったこと、にしたいのだ。貴之が失踪していた年月、貴之の上に流れた時間をなかったことにしてしまいたい。それには、失踪したその時と同じ環境、同じ空間が必要だった。だから続けている。意地、というよりも、それにすがっているだけだ。

貴之が生きていない、という想像は、唯はしなかった。しないように努力をし続けて、今ではしないことが当たり前にできるようになっていた。他人から見たら滑稽《こっけい》かも知れない。だが唯は、貴之は必ず生きている、と、頑《かたくな》に信じている。

だが貴之が生きて戻って来たとして、それから後どうすればいいのか、唯はそれもまた、何も考えないことにして痛みから目をそらしていた。自分の目の前からいなくなっていた歳月に貴之の上を通り過ぎた人々の幻《まぼろし》を、それから先ずっと貴之の背中に感じながら生きていかなければならないこと、それを考えるのは、今の唯にとってあまりにも重いことだったのだ。

なぜ、待ち続けている、というだけなのに、こんなに苦しまないとならないのだろう。

風太がもうやめ、意地張るのもええ加減にしい、と怒るたび、そうだ、何もかもやめて、待つのも愛するのもすべてやめて、貴之はあたしの人生にはじめからいなかった者として忘れてしまおう。そう思う。本気で、そう、思う。

それでもそれができないことは、自分がいちばん知っていた。

他にどう表現したらいいのかわからないほど、理不尽だった。

理不尽だった。

自分が苦しまなければならない理由が、わからなかった。

自分が何をしたからこんな思いをすることになったのか、まるでわからなかった。

わからないままの十年。


唯は、軽い疲労を感じて壁に背をつけた。狭い六畳の部屋。壁の向こうには絶望した男がひとり。

自分はこれから、その男の絶望を白い光の下にひきずり出して、人々の目にさらそうとしているのだ。

それはどんな形を、色を、匂いをしているのだろう。

観覧車に乗り続けた女の見ていた桜のように美しければ、せめて、と、唯はつまらないことを考えて、ひとりで笑った。

ダンボールを開け、日用品を収めるところに収める作業に一時間ほど費やしてから、唯は多美子が用意した石鹸の詰め合わせを手に部屋を出た。

隣室をノックする。返事もなくドアが開いた。警戒も用心もしているふうではない。

「なにか」

後藤はぶっきらぼうに言った。

「あの、隣に越して来たものなんですけど」

唯は石鹸の箱を差し出した。

「つまらないものですが」

「どうも」

「あの、このあたりに買い物をする大きなスーパーってあります？　いろいろ揃えないといけないものがあるんですけど、このあたりはまるで知らなくて」

「公園知ってますか」

「角を曲がったところの児童公園ですね？」

「あの先の広い通りに出たとこに、スーパーがあるけど。でもそんなに大きくないです」

「ありがとうございます、行ってみますね」

唯は笑顔をつくってみたが、後藤の顔には変化が現われなかった。

頭を下げて閉じたドアの前から退散しながら、唯は溜息をついた。

後藤の顔は、思ったより明るい。

この仕事を始めて、絶望している人間の顔を見る機会が多くなった。後藤は静かだ。寝不足でもなければさほど疲れてもいない。あんなに静かな絶望、というのは初めて見た。

ふつうに寝て、ふつうに食べている人間の顔だった。

勘違いなのだろうか。ただ、後藤は由紀恵と別れた、それだけのことなのか。由紀恵は自分が跨《また》がった白馬の上にいた騎士の正体が、ただの冴えない男だったと知って、それで馬を降りてどこかに行ってしまった、それだけのこと?

だったらいいのに。

だったら、いいよね。


あたしはまだ、感傷に手足を縛《しば》られている。

極上のフィレステーキを食べる時に、子牛の目のあどけなさを思い出す馬鹿はいない。封筒に入った百五十万がなくなるまでは、ああだったらいい、こうだったらいいなんてことは、考えるだけ時間の無駄。

＊

一週間は進展が何もなかった。

唯はかなり焦っていた。後藤には、とりつくしま、というものがないのだ。尾行はサポートの調査員と交代で行なった。後藤の一日はあらかじめ予備調査の結果からわかっていた通りで、公園で時間を潰す以外では、本屋で数冊の本を買いだめしたことぐらいしか「変化」と呼べるものがなかった。唯が挨拶程度に話し掛けると、特に嫌そうでもなく、面倒という顔もしないでふつうに受け答えしてくれるのだが、少しでも長く話そうとして話題を持ち出せば、さっと引かれてしまう。その繰り返しなのだ。調査費用は経費込みで百五十万、二週間でカタをつけないと、割の合わない仕事になる。

唯は思いきって、サポートの受け持ち時間も後藤の尾行を続けることにした。自分の目で、手がかりを見落としていないか確かめたかったのだ。

八日目。

いつものように公園でパンを齧っていた後藤が、いつもよりかなり早く、正午過ぎにベンチを立ち上がった。

そのまま、ぶらぶらと歩いて行く。方角から言うと港の方に。

尾行は簡単だった。後藤はまったく頓着《とんちゃく》しないで、同じペースで歩き続けた。何ひとつ警戒していなかった。気にもしていなかった。

後藤の長い散歩が続く間、唯は、漂って来る海の香に新鮮な愉しみを感じていた。

京都府にも海はあるが、京都市は海から遠い。潮の香は唯にとって、遠いところ、という漠然としたイメージと結びついたものだった。

「ね、どっか遠いとこ、行かへん？」

結婚した頃、日曜日に早起きすると、唯は反射的に貴之にそう言っていた。

「遠いて、どこらへん？」

「どこでもええやん。そやなあ……やっぱ、海！」

「また海か。ええけど、どこの海がええ？」

京都市からは、どこの海に出かけても「遠かった」。遠くに出かけるから、長く遊べる。海に行くから、ずっと横顔を見ていられる。

理由が必要だったのは、自分の頭の中でいつも、貴之が「忙しい人」だったせいだろう。

私立探偵という仕事が具体的に何をする仕事なのかは、一度も訊《たず》ねたことがない。なんとなく貴之は話したくなさそうで、だったら自分も、聞かないでいいや、と思ったから。話したくなさそうだったわけは、自分が同じ仕事をしてみて痛いほどわかった。無理をして聞き出そうとしたりしなくてよかった、と思っている。だがその反面、もし聞いていたら、もし貴之の仕事についても一緒に考えたり悩んだりできる関係が築けていたら、貴之はいなくなったりしなかったんじゃないか、そうも思う。好きなのに、全部は知りたくなかった。知らないでいる部分に、自分の知っている貴之ではない別の貴之が隠れていそうで、怖かったのだ。

海の匂いが強くからだにまといつく。

やがて、港に出た。後藤は佐渡《さど》汽船のターミナルビルに入って行く。佐渡に渡るつもりなんだろうか。

後藤の故郷は新潟ではないはずだった。東京の印刷会社にあった後藤の履歴書によれば、出身は長野になっている。だが履歴書では過去の所在地のすべてがわかるわけではなく、後藤が佐渡にいたことはない、とは断言できない。いちおう、後藤の故郷は長野ということになっている。高校まで長野で過ごした後藤は、東京の専門学校でアートデザインの勉強をした後、デザイン事務所に就職した。そこは数年で辞め、次に勤めたのが後藤がつい半年前まで働いていた印刷会社だった。後藤の仕事はスーパーや通販の折り込みチラシのデザインと版下作り。そうした仕事にどの程度の技術が必要でどの程度の需要があるのか、唯には知識がなかったが、この不況下でも再就職の道がまったくない、というわけではないだろう。後藤には、もう一度どこかの会社に勤めようという気がまるでないのだ。

佐渡汽船はフェリーとジェットフォイルの二航路で佐渡と本土とを結んでいた。後藤はしばらくの間、時刻表を眺めていた。それからフェリーの乗船券を買う窓口に向かった。サポートの調査員は唯から数メートルほど離れたところに立って煙草を取り出した。唯はその男に目配せし、後藤が乗船券を買う真後ろに並んだ。後藤が券を買って振り返った時、唯は驚いた顔をつくった。

「後藤さん」

「あ、どうも」

後藤は頭を下げた。

「佐渡に行かれるんですか」

「ええ、まあ」

唯は自分の券をすばやく買って、待合室に向かっていた後藤の後を追った。

「よかった、ご一緒できて。あたし佐渡は初めてなので」

「ご旅行ですか」

「いいえ、あの……友だちが住んでいて、前から遊びに来てって言われてたんです。後藤さんは？」

「……暇《ひま》だったんで……行ってみようかなと」

後藤が待合室のソファに座った。唯も隣に腰をおろしたが、後藤は迷惑そうでもなかった。

「まだ行ったことなかったから、どんなところかなと」

「後藤さんはずっと新潟ですか？」

後藤は首を横に振った。

「あの、新潟にはお仕事で？」

「ご存じでしょう」

後藤は低く笑った。

「俺、失業中です。公園にいますよ、毎日。あなたはたまに通りかかる。あなたは家で仕事ですか」

後藤の方から唯について何か質問したのは、それが初めてだった。

「ええ」

「ソーホーってやつ？」

「そんな上等なものでは。友人に頼まれて、書き物の仕事を少ししているだけです」

「あなたって関西の訛《なま》り、ありますよね」

後藤が不意に訊いた。

「どちらですか」

「あの……京都です」

「京都」

後藤は、言葉を反芻《はんすう》するようにしばらく口ごもってから言った。

「いいとこですか」

「京都がですか？　そうですねぇ……観光でいらっしゃるならもちろん、とてもいいところだと思います。それこそ見るところなら、一ヶ月やそこらいても見切れないほどありますから」

「暮らすには？　生活するとしたらどうです？」

「生活ですか……考え方やと思うんです。我々、京都で生まれた者にはたぶん、日本でいちばん住みやすいところです。でも他の土地で生まれ育った人にとってもそうやとは、思いません。それだけ強く、いろいろなしばりは残っています。ただ、そうしたしばりを楽しむつもりがあれば、興味深いことがたくさんあって、住んでいて退屈しない町やないかと。でも、気候は厳しいです。冬は寒いですし、夏の暑さはともかくものすごいですよ」

「夏、暑いのは辛《つら》いかな」

「慣れないと大変ですね。後藤さん、京都に住んでみたいと思ってらっしゃるんですか？」

「そろそろここも飽きたから」

後藤は言って、ショートホープの箱を掌《てのひら》の上で転がした。

「日本中どこに行っても、変わらないだろうなとは思うんですけどね、ほんとは」

「変わらないって、何がですか」

「この感覚です」

後藤の掌で、煙草の箱が一回転する。

「このね、明日は何をすればいいんだろうって、感覚」

「お仕事を探していらっしゃるんでしょう？」

「いいや」

後藤の笑顔は、どことなく凄みがあった。

「仕事はしばらくしないつもりです……金がなくなるまでぼんやりして、それから路上生活かな」

唯は無理して笑った。冗談ですよね、と念押しでもしているように自分の笑い声がむなしく聞こえた。

「小学生の時、好きな女の子がいたんです」

しばらくの沈黙の後で、後藤が思い付いたように言った。

「初恋ってやつですか。五年生の時だったかな。その子の親が離婚してね、その子は母親と母親の田舎《いなか》に帰ることになった。その田舎が佐渡なんです」

「それじゃ、その初恋の人に会いに？」

「いや」

後藤が笑った。

「今も佐渡にいるのかどうかすら知りません。ただ、なんとなく思い出して、どんなところかな、と思っただけです。どうせ暇だし、行ってみようかなと」

「そろそろ乗船ですね」

アナウンスがあって、待合室の人々は乗船口に向かって列をつくり出した。唯は立ち上がった。だが後藤は座ったままだった。

「あの、参りません？」

「いや、いいです。やめました」

「やめた？」

「気が変わったんです。どうぞ行ってください。佐渡に行ったからってどうなるもんでもないですからね。俺、帰ります」

「でもチケット」

「誰かに売っていいですよ」

後藤は手にしていたチケットを突き出し、唯の手に押し込んだ。

「それじゃ、気をつけて」

呆気《あっけ》にとられた唯を残して後藤は歩いて行く。追い掛けようかとも思ったが、サポートの調査員が動き出したので唯はそのまま列を進んだ。後藤に見られないところで列を離れればいい。

後藤の行動は唐突だ。もしかすると、唯の尾行に気づいたのかも知れない。無理は禁物だった。

イライラする気持ちを抑えて、唯はのろのろとした列を進み、改札の間際で列から出ようとした。その時、唯は、信じられないものを見た。

……貴之！

3

嘘だ。

唯は何度も瞬《まばた》きした。それでもその、幻《まぼろし》、は、唯のすぐ二十メートルほど前を歩いて、ジェットフォイルの待合室へと入って行く。唯も後を追った。待合室を出たところでジェットフォイルの改札があった。

「チケットを出してください」

「あ、あの、ここで買えませんか」

「売場にお願いします。それと、この便はもう満席ですよ」

「どうしても乗りたいんです！」

「無理ですよ、船が揺れることもありますから、安全のため、座席に座ってシートベルトをつけていただくんです。全席指定ですから」

唯は走って売場に引き返した。だがやはり満席だと断られた。

もう一度、フェリーの乗り場に走った。フェリーの方が先に出航するが、倍の時間がかかる。佐渡に着く時間が一時間近くずれてしまう。

どっちにしても、もう追いつけない。

唯は思わずその場に座り込んでしまった。どうしようもない。

あれは貴之だった。間違いなく貴之だ。他人の空似《そらに》なんかじゃない。何年経っても、面影はそっくり残っていた。十年近く経ったこと自体が嘘のように、唯の心の中にいた貴之そのままだった。彼を見間違うはずがない！

佐渡に何をしに行ったのだろう。貴之は佐渡に住んでいるんだろうか。

考えても何もわからなかった。貴之が佐渡や新潟と繋がりがあるなんて話は一度も聞いたことがない。今の今まで、貴之が佐渡にいるなどとは考えたこともない。

もし、何かの用事で出かけたのだとしたら。

唯は立ち上がってジェットフォイルとフェリーの時刻表を穴が開くほど見つめた。

待ってみよう。ここで待ってみよう。もし何かの用事で佐渡に行ったのなら、帰って来るかも知れない、今日中に。佐渡まではジェットフォイルで一時間、フェリーでも二時間の距離なのだ。

唯は、どちらの航路で貴之が戻って来ても見つけることができるように、チケット売り場の隅に立って待ち続けた。

船が着くたびに、アナウンスがあるたびに祈るような気持ちで降りて来た人々の顔を見る。時間が経つのは苦痛ではなかった。いくら待っても、これまで待ち続けた年月より辛いということはないのだから。

もし貴之に声をかけられたとして、それからどうする？　その次の言葉は何にしたらいいんだろう。何と言えば、魔法のようにすべてがいい方向へと流れるんだろう。

唯は何度も何度も、頭の中で「その時」をシミュレーションした。貴之が現われる。あたしは走って背中から追い付き、声をかける。貴之さん？

貴之はどんな顔をするのだろう。最初は驚き。でもそれから？　それから……？

懐かしさとか愛しさとか。そんなものが混じりあった顔？

それとも、バツの悪さ？

とうとう見つかった、という戸惑い？

後悔？　困惑？

でも……嫌悪だったら……嫌悪だったら……


携帯が鳴った。

「もしもし？」

多美子の声だった。

「下澤？　あんた、どこにいるの？」

「港です」

「なんでまだそんなとこにいるのよ。加納《かのう》から連絡で、あんたが交代時間過ぎてもアパートに戻らないって」

「すみませんでした」

「港で何か見つけたの？　由紀恵でも見かけたとか？」

「いいえ。あの……この仕事、降りたいんです」

多美子が一瞬黙った。それから、ひどく低い、脅《おど》すような声になって言った。

「何言い出すのよ。何が不満？　条件は前もって話し合っておいたはずでしょう」

「そうじゃないんです……夫がいたんです」

「夫？　あの、失踪中のご主人？」

「はい」

「まさか、ちょっと、なんであんたのご主人がそんなとこにいたのよ！」

「わかりません。見失いました。佐渡に渡ったのは間違いないんですけど、追い掛けても追いつける状況ではなかったので、日帰りで戻って来ることに賭けてみようと」

「賭けてみようって」

多美子がひきつった笑い声をあげた。

「ちょっとあんたねえ、うちの仕事やってる最中になに、それじゃダンナ捜すのに夢中で交代の連絡も忘れたって言うわけ？」

「すみませんでした。でも無理なんです……十年も捜していたんです。仕事のできる精神状態ではないんです」

「契約破棄したいってこと？」

「はい」

「違約金もらうわよ」

「仕方ないと思っています」

「あのね」

多美子は呆《あき》れた、というように受話器の向こうで溜息をついた。

「事情はわかるわよ。失踪中のご主人を見かけた。そりゃ追い掛けたいでしょう。だけどね、その男、ほんとにご主人なの？　ちらっと見ただけなんでしょ、他人のそら似だったらどうするの？」

「間違いないと思うんです。主人でした」

「じゃ、このまま佐渡に行くの？」

「最終便まで待って戻って来なければ、明日のいちばん早い便で佐渡に渡ります」

「それからどうするのよ」

「それから」

唯は一度言葉を切ってから言った。

「捜します……島中を捜します」

「あんたの代わりを今から手配するのは大変なのよ」

「申し訳ないと思っています」

「ねえ、こうしない？　うちがあんたから依頼を受けるわよ、ご主人を捜す。だからあんたはこのままうちの調査を続行してよ。今さらあの部屋に他の人間入れるなんて面倒なのよ。どうせあんたひとりで佐渡に渡ったたって、効率悪いじゃないの。佐渡ってけっこう広いのよ、ただ顔を見かけたってだけで人捜しするんじゃ大変じゃないの」

「調査を続行しても、集中できないと思うんです。上の空になってしまったら、きっと失敗します」

「そう」

多美子はうんざりした、という声になった。

「あんたは見込みのある人だと思ってたんだけど、眼鏡違《めがね》いだったみたいだね。だけどね、今夜は交代がいないのよ。最終便が着いたらアパートに戻って、今夜だけは調査続行してくれる？」

「わかりました」

「違約金は規定通り、請け負い金額の二倍、三百万。他にあんたのために用意したもんの実費と、それを片づける費用の実費。全部で四百万くらいになるけど、まけないわよ。悪く思わないでちょうだい」

「お支払いいたします」

「あんたの手に負えなくなったら」

多美子の声が少しだけゆるんだ。

「うちが引き受けるわよ。わかってると思うけど、人捜しは人手があった方がいいんだから」

「その時はお願いします」

バカ。

携帯をポケットにしまって、唯はひとり笑いした。あたしは馬鹿だ。大馬鹿だ。

違約金、もちろんそんな大金を支払うあてはなかった。どこかから借りないとならない。それだけではない。多美子のところからの仕事はもう二度と来ないだろう。

事務所は終わりだった。借りている事務所の敷金を返してもらって違約金の支払いの一部にあてるしか方法が思いつかない。それでも二百万以上足りないが、小分けにして借りるとして、返して行くには他の事務所の仕事をやるしかないだろう。自分の事務所では維持費がかかり過ぎる。

どうでもいいじゃないの。ともかく貴之が見つかれば、そんなことどうでもいいことになるんだから。

本当に？

ひとつ考えるたびにそれを打ち消す考えがわいて来た。

本当にどうでもいいことになる？　もし貴之が、京都に一緒に戻ることを拒否したらどうするの?

もうおまえと暮らすつもりはない、正式に別れてくれって言われたら……

貴之はそれが言い出せなくて、あたしの前から姿を消したんだろうか。

最終便のフェリーが着いた。貴之の姿はなかった。

唯はそれでも、立ち去ることができずにしばらくその場にいた。自分で自分が情けなかった。

＊

アパートに戻った時、郵便受けに多美子からの伝言が入っていた。新潟支所の受信FAXだった。違約金の明細と支払い期限。多美子らしい。今日までの仕事については日当で支払い扱いにし、違約金と相殺《そうさい》。本来なら、請け負い仕事を途中で放棄したのだから一銭ももらえなくて当たり前なのに。

受け取った百五十万は明日、振り込めと書いてある。もう七万ほど使ってしまったので、銀行からおろして補塡《ほてん》しなくては。

明日の朝、いちばん早い便で佐渡に渡ろう。唯は荷物をまとめ出した。

ノックの音がした。

「はい……どなたですか」

ドアの向こうから、躊躇《ためら》っているような声が聞こえて来た。

「後藤です」

唯はドアを開けた。後藤が、無理につくったような笑顔を浮かべて立っていた。

この男はシャイなんだ。唯は、はじめてそう理解した。後藤があまり笑わないのは、笑うのが恥ずかしいのだ。他人に対して、微笑《ほほえ》む、つまり、自分の方から一歩前に出ることが、得意ではないのだ。

「あの……お帰りになられたみたいだったんで」

「あ、はい」

後藤は自分が佐渡に出かけたと思っているんだ。唯は、貴之のことで動転して、後藤の存在を忘れていた自分に気づいた。

「行って来ました」

「どうでした？」

「あ」

唯は咄嗟にごまかした。

「友だちが迎えに来てくれていて、それで食事をしたらつい長話になっちゃって。結局、観光はしなかったんです」

「ああ、そうですか」

「あの」

唯はドアを広く開けた。

「お入りになります?」

どうしてそんなに簡単に後藤を部屋の中に入れてしまったのか、唯はほとんど無意識だった。ただ、仕事を途中で放棄するのなら、今夜の内に得られる情報はできるだけ得て、多美子に渡したいという気持ちは意識していた。

「すみません、こんなに遅く。その……こんなもの買ったので、どうかな、って」

後藤が抱えていたのは、柿の種の缶だった。雪国の少女のほのぼのとした絵が描いてある。

「嬉しいです」

唯は、その缶がとても気に入った。

「今、お茶いれますね」

「新潟っていろいろ名物があったんですね。俺、もう何ヶ月も住んでいて、よく知らなかったんです。今日、あの後そのまま帰るのもつまらないなって駅まで行ったんですよ。それで名店街みたいなところで、新潟のお土産をいろいろ見ていたら、この缶があって。ちょっといいな、と思ったもので」

やはり元デザイナーだけあって、そうした絵には敏感なのだろう。

新潟の名物を調べたい、と思ったこと自体、この男にとっては大きな前進なのかも知れない。後藤は本気で新潟を出て他の土地に行くつもりなのだ。


「急に佐渡に行かれるのをとりやめられたので、少し驚いたんです。何かあったんですか？」

「別に何もないです。ただ、行ってもしょうがないなあ、と思っただけですよ。だって、初恋の子がどこに住んでいるのかも知らないわけだし」

後藤は、唯がいれた茶をすすって、おだやかな顔で笑った。

「近いようで、あの距離が遠いんだな、と思いました」

「あの距離？」

「港から佐渡まで。あの距離が遠い……無限に遠いんですよね。俺はもう二度と小学生にはなれないんだ。当たり前なんだけど、そう思うとなんかね……」

「あの距離が、遠い」

唯は繰り返して、そして泣き出しそうになった。

あの距離が遠い。無限に遠い。

それはこの十年の、自分と貴之の距離なのだ。貴之は今夜、今この時、佐渡にいる。

誰といるの？

どんな夜を過ごしてるの？

無限に遠い海の向こうで、貴之が誰かに笑いかけているのが見えた気がした。確かに昔は唯のためのものだったはずの、あの温《あたた》かな、愛《いと》しい笑顔が、今は他の誰かに向けられている。

生きていたのだから、あたしを裏切っていないはずがない。

「どうかしました？」

後藤の声で唯は我にかえった。

「なんだか辛そうですね。おからだがどこかお悪いんですか」

「いいえ」

唯は涙がこぼれないように顔を少しそむけた。

「ちょっと、考え事をしてしまって。すみません」

「俺、もうおいとまします」

「いいんです、ほんとに大丈夫です」

唯はつい、後藤の腕に手をかけた。

「せっかくですもの、柿の種、一緒にいただきません？」

唯は精一杯笑って見せて、缶を開けた。

いつもコンビニで買うような柿の種とは違って、ピーナッツなど入っていない、とても素朴な菓子だった。香ばしい米の香りがする。

「やっぱりおいしいですね、新潟のおせんべいって。お米が違うのかな。後藤さん、本当に新潟を出てしまわれるんですか」

「そうですね……もっともっと雪が多いとこに行って、冬の間は雪に埋もれてるのも楽しそうだな、とも考えてますが。新井とかすごいらしいですね、同じ新潟でも」

「お仕事、なさらないんですか、もう」

「人に会いたくないんです」

後藤は、笑顔のままで言った。

「人と話したくない。勤めたら人と話さないとならないでしょ？」

「でも……今、わたしとは話してくださってますよね」

「話したいと思う時だけならいいんです。でもね、話したくないと思ってる時に話さないといけないと、辛い。ずっと耐《た》えて来たんですよ。ずっと耐えて、なんとか周囲とうまくやろうと努力して来た。なんか疲れました。もうしばらくはいいかな、という感じです」

「それで会社、お辞めになったんですか」

唯の問いかけに、後藤は一瞬、視線をはずして遠くを見る目つきになった。だがすぐにまた唯の顔に視線を戻した。

「まあ、それだけじゃなかったけど」

その先が聞きたかったが、後藤は話題を変えてしまった。

「佐渡は魚、おいしいらしいですね。食べました？」

「あの……いいえ。そうね、せっかくなのにお魚を食べなかったなんてもったいなかったな。久しぶりに会えた友だちだったんで、ともかく早くお喋りがしたくて、適当なお店に入ってしまったんです」

「俺は長野の出で、海とは縁遠かったから、東京に出ていろんな魚の名前を憶えたんです。新潟は魚がおいしいと聞いていたけど、考えたらこっちに来てから魚、食べてないですよ、俺も」

「男性がおひとりだと自炊は大変ですよね」

「面倒で、できあいのもんばっかりです」

「公園で……よく、パンを食べていらっしゃいますよね」

「鳩《はと》にやるんです」

「鳩？」

「公園にいるから」

寂《さび》しくはないんですか。

そう問いかけてしまいそうになって、唯は自分を押しとどめた。今夜はまだ仕事。感傷は禁物だ。

後藤は、黙って茶をすすった。唯は気持ちの焦りを堪えていた。今夜の内に、由紀恵の居場所を聞き出すことができたら。

「砂山って知ってますか？」

不意に後藤が言った。

「……え？」

「歌ですよ。『砂山』。海は荒海」

「ああ……はい。向こうは佐渡よ」

「そう。あの歌が好きだったんです。なんでだかわからないけどね。たぶん、初恋の子が佐渡にいるんで、佐渡、って単語に反応してたんだと思うけど。新潟に来たら、佐渡が見えるんだと思ってたけど、見えませんね、遠過ぎて」

「直江津のあたりに行くと見えるんじゃないかしら。あっちの方が近いですよね」

「二番の歌詞が特に好きで」

「……暮れりゃ砂山、海鳴りばかり」

「日が暮れると、なんにも見えなくなる。さっきまで見えていた砂山も。海鳴りの音だけ聞こえる。ああそうだ、新潟に来てまだしてないことがあったんだ、って、ようやく思いつきました。砂山を見てなかった。見に行きませんか、砂山」

「あの」

明日にはここを出て行く、と、唯は言いかけた。だがその言葉が出るより早く、後藤が立ち上がった。

「行きましょう」

「今からですか？　でも……真夜中ですよ、もう」

「いいじゃないですか」

後藤は笑っていた。

「海鳴りは聞こえます」

「明るくなってからやないと、どこに砂山があるんだかわからないわ」

「明るくなるのを待てばいいいんです」

唯は、ごくり、と唾を呑み込んだ。

後藤の手に、飛び出しナイフが握られていた。どこに隠し持っていたのだろう。

「一緒に行きましょう。知りたいんでしょ、由紀恵がどこにいるか」

後藤は、笑顔のまま、言った。

4

抵抗してできないことはないと思った。後藤はさほど体格がいいというわけではなく、予備調査の範囲では武道などの有段者という事実も出てはいない。

だが万が一のこともあったし、いずれにしてもここまで来れば、由紀恵の消息はあと一歩で判明する。ただ、サポートの調査員が帰ってしまっているのがやっかいだった。どうにかして多美子か川崎事務所の新潟支所に連絡をつけないと。

「あなた、車、あるんでしょ」

後藤はアパートの外に出ると、ナイフの先を唯の肩に押し付けて言った。

「あなたに運転してもらおう。車まで案内してよ」

二週間契約で借りたレンタカーは、アパートから少し離れた飲食店の駐車場に、頼んで置かせてもらってあった。

「どこまで行くの」

「砂山までさ。さっき言ったでしょ」

「そのナイフ、しまってください。あたし、逃げませんから」

「悪いけど、警察は信用しない」

「あたし刑事やない！」

「じゃ、探偵か。探偵はもっと信用できない。でもさすがだな、由紀恵だって新潟に行くってことは、直前まで知らなかったのに、どうやって辿《たど》ったの？」

「いろいろ方法はあるのよ。ね、あたし、どこでもあなたの行きたいところに行きます。そやから、そのナイフはしまって」

「気にしなければいいんだ。運転に集中していれば気にならないよ。道は俺が指示する」

車を出すしかなかった。後藤は助手席で、ナイフを唯の方に向けたまま言った。

「この先で左折してまっすぐ、二つ目を右折、二車線の道路に出たら左折。後は道なりで行ける」

　唯は車をスタートさせた。

　後藤の指示は正確だった。二車線の道路の名称はわからなかったが、村上《むらかみ》の方に向かう国道より海側の通りらしい。道路標識には村上の文字が見えた。

「村上市の方に行くの？」

「途中だよ。そんなに遠くない」

「前に行ったことがあるのね」

「こっちに来てすぐに行った」

　こっちに来てすぐ。唯は、恐怖を吐き出すように呼吸した。

　そんなに早く由紀恵を。どうしてそんなことに……。

　暗い道だった。トラックばかりが通っている。民家のあかりも何も見えない。昼間だとどんな光景が広がっているのだろう。田んぼか畑なのだろうか。

「気味の悪いとこだよ、このへん」

　後藤は唯の気持ちを読んだように言った。

「工業地帯なんだ。ずっと、でかい工場がいくつも続いてる。煙突があって、送電線があって、鉄塔があって。倉庫と工場ばかりなんだ。そして海の方には松林が見える。防風林さ。すごい風が吹くらしい。新潟って、雪とか米とかのイメージしかなかったんだ。ここを初めて通った時、背中が寒くなった」

「地方都市は企業を誘致しないとやって行けへんのよ。あたしたちが使うものをつくる工場はどこかに必要なんやもの、仕方ないやないの」

「別に文句言ってるわけじゃない。ただ、砂山のイメージとあまりにも違ってたんで気味が悪かっただけさ。でも見つけたんだ、砂山。そのまま走って」


多美子に連絡をつけたかった。携帯に触れることさえできれば、定型文を発信できるのだが。最悪の事態を想定して登録してあるＳＯＳの文を。


「あ、そうだ」

後藤が楽しそうに言った。

「あなたの携帯電話、預からせて」

唯は舌打ちしそうになりながら、片手で携帯を取り出し、手渡した。

「無線機とかも持ってる？」

「今はつけてないわ」

「ひとつ約束するよ。あなたがおかしな真似《まね》さえしなければ、あなたを傷つけるつもりはないです」

「だったらお願い、そのナイフをしまって」

「悪いけど、保険だからね。俺、あなたと砂山が見たいんだ。あなたに見せてあげたいんだよ」

「どうしてあたしが、由紀恵さんを捜してるってわかったの？」

「あてずっぽうさ」

後藤は笑った。

「俺に優しく笑いかけてくれる女なんて、そんなにたくさんいやしないんだ。だから、確かめたかった。ナイフを出したのにあなたは悲鳴もあげなかった。俺がそんなことするかも知れないって、あらかじめ覚悟してたんだろ？」

「どうして自分のこと、そんなふうに言うの？　あなた、ふつうの人よ。女性が優しくしたって少しもおかしくない。だって由紀恵さんはあなたのこと、好きだったんでしょう？」

「由紀恵は、俺の名前が欲しかっただけさ」

「……名前？」

「中絶の申請書と堕胎手術の同意書。そこに俺の名前書いて、ハンコが押したかった。ついでに金も出してくれて、手術の後、二、三日ゆっくりできるホテルにでも泊まらせてくれる男を捜してたんだ」

唯は、ゆっくりと呼吸した。驚きが大きくて声も出なかった。いったい自分は何を見ていたんだろう。あの美少女の写真のせいで、真実から遠いところばかり見つめていた。当然あり得ることだったのだ、今どきの十七歳ならば。

「でも……書き置きには一年だけ姿を消すって」

「俺がそう書けばいいってアドバイスしたんだ。そのくらい心配させとかないと、戻った時にこっぴどく叱《しか》られるぞっておどかしてさ。一年もいなくなるって書いて数日で泣きながら戻ったら、いくらなんでも安心した方が大きくて、あんまり怒られないで済むぜ、って」

「あなた、頭がいいのね」

「由紀恵がバカなだけだ。俺を優しいおじさんだと信じていた。俺の言うことはなんでも聞いた」

「どこで知り合ったの、彼女とは」

「新宿。道ばたにしゃがみ込んでゲーゲー吐いてた。ナンパされた男に酒飲まされて、カラオケボックスでヤられた直後だった。目が合ったらにこっとして、タクシー代貸してって言いやがった。苦しくて電車で帰れないって。そのままにしといたら、また別の男たちに連れ去られてマワされるんだろうな、と思ったんで、一万円札一枚、渡してやった。戻って来なくてもいいと思ってさ。そしたら、携帯のメールアドレスを教えろって言うから教えた。メールなんて使ったことなかったけど。数日して、メールが入って、金を返すから会いたいって言って来た。可愛い子だから、悪い気はしなかったよ。もちろん、俺なんかでどうこうできるなんて思ってやしなかったけど。会ってみて驚いた」

後藤はナイフの刃先をくるくると回して笑った。

「新宿で見た時は、派手な化粧して髪も真っ赤だったんだ。マイクロミニのスカートにすんごいピンヒールのサンダルで。まるっきり売春婦だった。男にヤられても文句は言えない、って格好だよ。若い女ってのはほんと、何考えてんだかさっぱりわかんないよな。レイプしてくれって言わんばっかりの姿で男の群れの中を泳ぐ。男が欲情するのを見て、自分には魅力があるわって勘違いしたいんだろうな。けど、昼間待ち合わせして会った時の由紀恵は、テレビの中にしかいないみたいなきれいな子で、制服を着て、どこからどう見ても清潔そのものだった」

唯は頷いた。あの写真の由紀恵は本当に、どこにも染みひとつないように見えた美少女だった。

魔性とか二面性とかいう言葉では説明し切れない、そこには奇妙な断絶があった。由紀恵自身、学校に通っている時の自分も新宿で遊びまわっている時の自分も、どちらがどちらを隠しているのではなく、共に自分自身として受け入れていたのだろう。

「俺は」

後藤の声のトーンが一段、落ちた。

「俺は……夢中になってしまった。馬鹿だろ。あんな可愛い、しかも十七の子が俺に惚《ほ》れるわけがないのに。なのに由紀恵は俺になつき、俺の腕にぶら下がり、笑ってはしゃいだ。遊園地に連れて行け、スケートがしたい、ゲーセンで遊びたい。あれ買ってこれ買って。あたし啓ちゃんが大好き。好き好き好き。女ってなんであんなに簡単に、好き、って言葉、使えるのかな。メールに並んでるんだ、受信すると、まるで何かのまじないみたいに、好き好き好き好き好き……。たぶん、まじないなんだ。悪魔の呪文だよ。ハートのマークのついた。俺は信じて溺《おぼ》れて、何も見えなくなった。それでもうどうにも抜けられなくなってから、由紀恵の本当の目的を知ったんだ。あたし妊娠してるの。中絶しないと学校にばれて退学になっちゃう」

後藤は大声で笑った。

「俺とはキスしかしてなかった。それ以上やる気なんてもともとなかったんだろ。だけど由紀恵は俺のこと、考え違いしてたんだ。俺は優しいおじさんなんかじゃない。ただの、スケベな冴えない男で、人一倍執念深くて嫌な奴だった。復讐してやろうと思ったんだ。男を手玉にとったつもりでいやがって、どうするか見てろ、ってさ」

「それで、新潟に連れて来たのね」

「都内の病院で手術してから、新潟に連れて来てホテルに泊まらせた。由紀恵は喜んでたよ。新潟は初めてだって。橋を渡ったら松林があるから、入れるとこで左折だ。暗いから見落とすなよ」

後藤の言った通り、川を越えたあたりの両側が暗さを増していた。松林だと言われてもこの暗さではよくわからないが、うっそうとした感じだけは伝わって来る。かろうじて、左折できる道を見つけて曲がった。

狭い地道をがたごとと進んだ。不意に、林が途切れて波の音がした。

日本海だった。

「降りて」

後藤に言われて唯は車の外に出た。

目の前に、砂丘があった。月が砂を照らして輝いていた。その向こうにはただひたすらの闇があり、闇の中にぼんやりと白く泡立つ波が見えた。

海鳴りばかり。

本当に、ただ、海鳴りばかり、そこにはあった。

後藤に後ろからせかされながら、砂丘をのぼった。いちばん高いところから海の方へと少し降りたところで、座れ、と命じられた。

砂は冷えていた。氷のように冷たかった。

「佐渡は遠いよ。ここからでも見えないんだ」

「波がすごい」

「冬の日本海だからね。いい音だろう？」

唯は頷いた。

「由紀恵のせいなのさ」

後藤は静かに言った。

「仕方なかったんだ」

「彼女は、どこ？」

「朝になればわかるよ」

「どうして今は教えてくれないの？」

「俺の勝手さ。何もかも思い通りには行かないもんだよ、探偵さん」

腕に痛みを感じた。ナイフの刃先が上腕の皮膚に潜り込んでいた。

「脱いで」

唯は、また唾を呑み込んだ。

「だって、寒いじゃない」

「冬だからね。我慢してよ」

「凍死するわ」

「大丈夫。二人でいるんだからさ」

何が有効なんだろう。この男には、どんな言葉なら通じるのか。

「お願い」

唯は囁《ささや》いた。

「堪忍して」

「由紀恵に会いたくない？」

「それは……会いたいけれど」

「会わせるよ。朝になったら。それともそんなに、俺が嫌いか」

プライドか。この男を狂気に走らせているのはプライドなのだ。愛した由紀恵に傷つけられたプライドを、今、この男は他の女を傷つけることで癒《いや》そうとしている。

唯は上着を脱いだ。それだけでもう、寒さが筋肉から骨にまで染み通った。ネルシャツのボタンをはずして、Tシャツをまくると全身に鳥肌が立った。乳首が尖《とが》ってずきずきと痛む。

上に身につけていたものがすべてなくなると、思わず両腕で自分のからだをさすってしまったほどの寒さで歯の根が合わなくなった。

後藤の腕が唯の腕を掴んだ。悲鳴をあげたほどの強さで腕がねじ曲げられ、たまらなくなってからだを反転させると、両方の腕をまとめてひねられた。唯の着ていたもの、ネルシャツの袖だろうか、で両手首が縛られた。

海鳴りが聞こえる。どうしてあんなに圧倒的な音をたてて、波は砂山に向かうのだろう。

唯は目を閉じた。狂気はその時を過ぎるまで収まらない。今考えなくてはならないことは、ただ、生き延びることだけだ。

空気の冷たさが辛かった。からだ中の皮膚がぱりぱりと凍《こお》ってはがれ落ちてしまいそうだった。ジーンズも下着もどこかに投げ捨てられて、砂がからだのあらゆる部分から内側へと入り込んで来た。顔を下にしていると、砂に埋もれて息ができない。唯はからだをまた反転させて、月を見た。後藤の肩の上に月があった。

後藤は唯のからだの上でひとりで暴れていた。皮膚のあちらこちらを摑み、揺さぶり、吸い立てながら。それなのに、唯の内側へは入って来なかった。後藤のからだが離れると寒さで叫びだしそうになる。後藤のからだが、むしろ有り難かった。離れないでいて、と思った。離れられてしまうと、その場で死ぬような気がした。

海鳴りと寒さと、月と男の重さ。唯の意識は限界に近づいていた。気絶したら死ぬ。そう思っても、視界の中の月はどんどんぼやけた。

後藤の唇が唯の唇にぶつかるように重なった。唯は歯を食いしばって口を閉じていた。

「なぜ言わないんだ」

後藤が熱に浮かされたように喋った。

「どうして言ってくれないんだ。あんなに簡単に安売りする言葉なのに。あなたはどうして、言わないんだ……」

何のことなんだろう。後藤は何を言って欲しいのだろう。

唯は気づいた。後藤の、男、が萎《な》えたままだった。

後藤は、唯の腹や腿にそれを押し付けて懸命にこすっている。

わかったような気がした。悲劇の本当の理由が、わかったような気が。

わかった、と思った途端に、誰にも説明のできないような悲しさで、唯は泣き出した。

無理しないで。どうしてそんなに無理するの？

唯は自分から足を広げた。

「手を」

唯は、ぶつぶつと呟きながら激しく動いている後藤の耳に囁いた。

「手を自由にして。してあげられるから……そんなに無理しないでも、大丈夫だから」

後藤の動きが止まった。月が後藤の背中に隠れ、逆光の中で後藤の顔はただ黒く沈んでいた。

「好きよ」

何もかも、唯はやっと理解した。

砂の上で見る、この寂《さび》しい夢。

「ごめん」

後藤が言った。途端に、唯の腹に強い衝撃が落ちた。

一瞬で、唯の意識は白く飛んだ。

＊

どこかで携帯が鳴っている。

唯は目を覚ました。空がうっすらと青い。夜明けだった。

胃がむかむかする。腹を殴られたのだ。服はいい加減に着せられていたが、ジャケットでからだを丁寧にくるまれていた。それでも、手足の先は感覚がないほど冷え切っていた。

からだを起こした。

目の前には砂山がなだらかに海へと流れ、海は濃い灰色で、波はもう穏やかだった。

砂の中から何か突き出ていた。なんだろう？

空が急速に白んで行く。耳の奥で携帯の音が響いている。

砂から突き出したそのものは、見慣れた形をしている。

……手……？

手！

手だ！

唯は悲鳴をあげてその手めがけて駆け寄った。

「由紀恵さぁん！」

思わず這《は》いつくばり、その手を掴み、砂から由紀恵のからだを引き出そうとする。

あっ！

唯はバランスを失って横倒しに倒れた。その手、は、するっと砂から抜けた。かじかんで感触がなくなっていた掌に、無機質な樹脂の手触りが戻って来る。

その手は、古びたマネキン人形の腕だった。

唯は呆然と、その彩色の剝《は》げた人形の腕を見つめていた。

携帯が鳴っている。

携帯が鳴り続けている。

唯は我にかえった。四つん這いのまま砂の中をかき回し、携帯を探した。自分の携帯だった。

「もしもし！」

多美子の怒鳴《どな》り声が聞こえた。

「下澤！　下澤、あんた？　ちょっと何か言って、下澤、無事なの？」

「……無事です」

電話の向こうで、多美子が大きな安堵《あんど》の溜息をついたのがはっきりと聞こえた。

「無事なんだね……良かった。今、そっちにうちの連中が向かってるから。あんた、何があったのよ。後藤が事務所の留守電に、あんたの携帯から電話入れたんだよ。あんたがそこに転がってるって。その上、由紀恵の居場所も知らせて来たよ」

「由紀恵さん、生きてたんですか！」

「たぶんね。大阪のミナミの風俗で働いてるって。後藤が売り飛ばしたんだよ。まったくなんて野郎なんだ、十七の子を売り飛ばすなんて！　でもまあ、殺さないでいてくれて良かったよ。ほんと、良かった」

唯は手にしていたマネキンの腕を見つめた。その腕には、マジックで何か書いてある。

俺もあなたが好きです。

たまたま漂流物のこれを見つけて、最後の最後にあたしをおどかしたんだろうか。それとも、ちゃんと用意して来ていたのか。いずれにしても、やってくれるじゃないの。シャイで暗くて、おまけに……勃《た》たないくせに。

後藤は、言えなかったのだ。由紀恵にそれを言うことができなかった。話したところで、十七歳の女の子では、男の苦しみは理解できなかっただろう。由紀恵に馬鹿にされるくらいなら、最初から、悪い男になった方が楽だったのだ。

「見事に解決したじゃないか、これで契約は立派に履行《りこう》されたわけだし、違約金のことはなかったことにするよ。下澤、御苦労さま。急げば佐渡に行く最初の便、間に合うんじゃないの？」

「いえ……今日は行きません」

「どうしてさ。ダンナ捜すの、諦めたのかい？」

「諦めはしません。この仕事が終わったら佐渡に向かいます」

「もういいわよ、終わったんだから」

「確かめたいんです。由紀恵さんが無事でいることを。大阪まで彼女を迎えに行かせてください。由紀恵さんを東京の自宅に送り届けるまで、やらせてください」

「いいけど、後藤の借金背負わされてるだろうから、交渉が必要だろうね。ま、十七だってことばらせば警察沙汰だから、そうこじれないとは思うけど。うちにそういうの詳しい奴がいるから、大阪に向かわせる。あっちで落ち合う？」

「そうします」

唯は立ち上がった。

日本海は機嫌よく、そこに横たわっている。その先に佐渡がある。近いけれど、無限に遠いその島が。

またすれ違ってしまうのかも知れない。貴之が佐渡から戻って来てしまったら、もう二度と逢えなくなるかも知れない。

いいや。

唯は頭を軽く振った。

必ず、逢える。必ず。

後藤さん、あなたは馬鹿よ。由紀恵さんかてきっと、あなたのこと、好きなんはほんまやったのに。ただあなたを利用しようとしただけやったら、こんな遠いところまでついて来たりはせんでしょう？

あなたたち、相思相愛やったのに。大馬鹿。

怖いのかも知れない。本当は貴之に会うのが怖いのかも。だからわざとチャンスを逃そうとしているのかも。

うちも、大馬鹿やわ。

唯の手の中には、奇妙でばかげたラブレターが握られたままだった。

俺もあなたが好きです。
ありがとう。もう随分長いこと、言われたこと、なかった。
いつかまたどこかで会えて、その時、まだふたりとも寂しかったら、今度はちゃんと、優しく、ゆっくりと、しよう。

どこか、ぽかぽかと、温かい場所で。

遠い陸地

1

出掛けの電話だった。もう留守電はセットしてあったので、そのまま無視してしまえば用件は小さなテープが録音してくれる。

数秒迷って、結局、唯は受話器をとった。

「下澤探偵事務所です」

「あの、調査の依頼は電話じゃだめですか」

若い声だった。女性で、探偵事務所に電話する緊張からか、声がうわずっていた。

「お電話でだいたいのことをご相談してから依頼されるかどうか決めていただいてけっこうですよ。ただ、正式にご依頼いただく時には、できればご本人においでいただきたいんですが」

「えっと、どのくらいお金がかかるか知りたいんです」

唯は部屋の時計を見た。新幹線は予約しているわけではない。ただ新潟で待ち合わせがある。それでもまだ一時間くらいは大丈夫だろう。

椅子に座り直し、料金表を見ながら調査料の説明をした。

相手は黙って聞いていながら、計算でもしているのか、受話器の向こうからボールペンが紙の上を滑る音が聞こえた。

「つまり、えっと」

口調が幼い。もしかすると、未成年？

「一週間、昼間だけの調査で三十万円くらい、だよね……もう少し安くはならないんでしょうか。なんか割引きとか」

「一日いくら、という契約も可能です。そうですね、通常の尾行でしたら、一日六時間で五万円、これは三千円以上の交通費を除く経費込みの料金になります。税金も含みます。もし一日か二日の調査で結果が判明するようでしたら、こちらの方がお得ですね。調査内容はどのようなものでしょう？　たとえば、火曜日だけ調べればいいとか、特定の日だけ尾行すればいいということでしたら、一日いくらの契約にされたらいかがですか」

「一週間契約にしちゃって、もし二日で結果が出たら、お金、返してくれます？」

「四日以内に結論が出た場合には日割り契約に変更できます。もっとも、調査前にお支払いいただく契約金は一日分ですから、多くお預かりすることはないと思いますけれど」

「でもそしたら」

電話の相手の声が皮肉な調子を帯びた。若いけれど少し意地が悪い、唯は勝手に判断してみる。

「結果は出てるのに引き延ばして、高くなるようにしちゃったりはしない？」

「この業界は口コミの力が大きいんですよ」

唯は、子供に横断歩道の渡り方を教える気分で言った。

「予定より早く調査が済んで安かった、という評判が次のお客様に繋がります。目先の利益ばかり追い掛けてお客様にご迷惑をおかけするようでは、信用は築けませんから」

「そっか……そうですね。すみません。でもあたし、まだ学生なんです。お金なくって」

「最大限、ご負担が軽くて済む調査方法をご相談いたします。一度事務所の方にいらっしゃったらいかがでしょうか」

「うん、と……もう少し考えて電話します」

「そうですか。お待ちしています。いちおうお名前をお伺《うかが》いしてもよろしいでしょうか」

「今津《いまづ》です。今津慶子《けいこ》。慶應大学の慶」

「ありがとうございます。では、お電話お待ちしております」

受話器をおいてから、唯はしばらく考えて留守電を解除した。その代わりに転送をセットして、事務所にかかって来る電話を携帯で受けるようにする。本当は今日から一週間、事務所を休むつもりでいた。でも、やはりそれはできないな、と思った。

この事務所にも顧客はいるし、彼らが口コミで広めてくれた評判を聞きつけて電話して来る人もいる。探偵事務所に電話して来る人間はみな、何らかの形で切羽詰まっているはずだ。一週間もほったらかしには到底できない。

いずれにしても、新潟にはいつまでいることになるか見当もつかなかった。逆に言えば、他の人に任せられないような依頼が入れば、いつでも新潟での調査を中断して京都に戻ればいい、ということ。

留守中に突発事態になれば、何人か、代わりに調査にあたってくれる同業者とは話をつけてあった。

唯は、もう一度小さな事務所を眺めまわした。

自分はまだ躊躇《ためら》っている。新潟に、佐渡に渡ってあのひとを捜すことを躊躇っている。

長い歳月だったとも思えるし、瞬《まばた》きする間のような気もした。夫が突然姿を消してしまってからの一日一日を、今思い出そうとしても、記憶は川のように流れて掌《てのひら》ですくおうとすると指の間からこぼれてどこかに消えてしまう。ただ、夫は、貴之は生きているのだと信じることだけで一日が始まり、一日が終わった。

信じていた通りに、貴之は生きていた。だが生きているのに、あたしのところへは帰って来てくれない。だったらそれが答えなのではないのだろうか。どうして貴之が姿を消したのか、なぜあたしをひとりぼっちでほったらかしたのか、そうしたことすべてへの、彼の答えは、彼が生きていてそして戻っては来ない、ということによってあらわされているのでは。

それなら、佐渡へ行くことに何の意味がある？　何度も繰り返した自問自答をまた始めてしまいそうになって、唯は強く頭を振り、今度こそドアを開けて廊下へと足を進めた。行くと決めたのだ。佐渡に行き、貴之を捜すと決めた。だから行かなくてはならない。行かなくては。

＊

新潟までは新幹線を乗り継いだ方が早く着くのかも知れなかったが、唯は北陸から日本海に沿って列車でたどった。灰色の空と海を眺めながら旅してみたかった。頭の中で「砂山」のメロディと歌詞とが、ゆっくり静かに流れ続けている。新潟の砂浜で、哀しい男とほんの一時、交わした劣情のかけらが砂の山に崩れて流れてゆく幻を、唯はこのひと月、ふとなにげなく閉じた瞼《まぶた》の裏に見ることが、時たま、あった。

美しさと若さの盛りに咲き誇っていた大輪の花の香に惑わされて人生を壊してしまったあの男は、ちゃんと立ち直って新しい生活を始めたのだろうか。男が連れ出して大阪に売り飛ばしてしまった娘は無事に保護され、父親は、すべてを不問に付す代わりに永遠の沈黙を男に強《し》いて、いくらかの金まで渡したと聞いている。だが唯は、娘を大阪の風俗店で見つけ出して親元に送り届けたところまでで手をひいた。あの娘は、何事もなかったような顔で学校に戻り、推薦で大学に進学して、やがては金持ちの男の妻として優雅な専業主婦生活にでも入るのだろう。

どうでもいいことだった。考えても仕方ないこと。だが考えてしまうのは、自分があの男に、同情以上の感情を抱いているからだということに、唯は気づいている。

恋だのなんだのという綺麗な感情とは少し違うのだろうけれど。

強いて言うなら……欲望。

窓ガラスに細かな雨粒があたっている。その雨粒が、ふと気づくと氷になって溶けながら後方へと散っていた。みぞれ。

暖房は効《き》き過ぎるほど効いていて暑いくらいなのに、なぜかうっすらと寒さを感じた。貴之が生きていると判った瞬間から、心の中に冷たい風が吹き抜ける小さな穴がひとつ、ぽつんと穿《うが》たれた気がしている。待ち望んでいた結果だったはずなのに。貴之が生きていることを信じていたから、おくって来られた歳月だったのに。

だが貴之が生きていて、それでも自分のもとへは戻って来ない、という事実の大きさは、唯の両腕に抱きかかえようとしても持て余す。

自分はやはり、貴之が死んでいることを心のどこかで願っていたのかも知れない。そう、もし死んでいたのならば、戻って来ないことは裏切りを意味しないのだから。

自分の薄情さに、唯は溜息をつく。あたしは天女じゃない。生身の女だ。

ひとりぼっちでほったらかされた十年という歳月は、決して短くはなかった。ひとり寝の味気なさに飽きて抱いてくれる腕を求めることが、さほど罪なことだとは、もう思わない。鼻腔を満たす男の汗の匂いや筋肉の弾力や、指から生えている細い毛や、そうしたものに懐かしさを感じ、そうしたものを愛撫したいと願うことは、当たり前のことなのだ。もし貴之が生きているのなら……貴之があたしを裏切って捨てて消えたことが事実なら、あたしは探さないとならないだろう……あたしを抱いてくれる男を。

車窓に日本海があらわれた頃、眠くなった。それが見たくて乗った列車なのに、灰色によどんでところどころに白い泡をたてているその海は、催眠術のように唯の意識を静めてしまう。海、という言葉の響きが約束する生命の躍動も自然の美もそこにはなく、ただ、耐えて春を待つのだという覚悟が残るだけなのだ。

だが冬の日本海はその実、その灰色の下に豊潤な命を隠している。その命を求めて、漁船は少々の荒れなどものともせずに海に出る。唯は、灰色の波の下の命を思っていた。無数の生き物がまどろんでいる水の中を。

列車の揺れとほの暗い水の幻想の中で、この十年の間に噛みしめて来た様々な思いがゆっくりと全身にゆき渡り、心地良い疲れになって唯の意識を危うくさせる。

出逢いの場には、今ではたったひとりの親友と呼べるかも知れない人、風太もいた。兵頭風太。あの当時は、京都府警の五条署《ごじょう》にいたんだったか、それとも上賀茂《かみがも》署だったか。風太は唯の大学の同期で、教養課程を履修していた頃はほとんど毎日のように一緒に昼食を食べたり喫茶店で喋ったりしていた仲間の内のひとりだった。三回生になった時、風太は弁護士になりたいと宣言して法律の勉強を始めた。唯や風太が通っていたのは法学部ではなく社会学部だったので、仲間たちは一様に驚いた。だが卒業を間近に控えて、風太の父親が急死し、風太は司法試験を諦めて働かなくてはならなくなった。風太はそれでも、法律と無関係な仕事を選ぶことができなかったのか、警察官採用試験を受けた。今度の選択も仲間たちを驚かせた。唯は寂しさを感じていた。唯が大学で専攻したのは人権と差別についての研究で、唯自身の気持ちの中においてもそして専攻していた学問から考えても、警察権力に対してはあまりいい感情を持てなかった。

風太との間に恋愛感情がかけらもなかった、とは思わない。ある時期、確かに二人は世間並みの大学生カップルのように手を繋いで四条河原町《しじょうかわら》を歩き、映画館で肩を寄せあった。酒が入って火照《ほて》ったからだを一時重ねてみたりもした。でも、なぜなのか、二人とも最初から知っていた。二人の関係は、そこから先に進まないということを。飲み過ぎて役立たずになったと笑って謝った風太の額に汗ではりついた髪の毛の束を指先でどけてやりながら、死ぬまで友達、という言葉を心に浮かべていた。風太は品のない関西弁で機関銃のように喋る、まるでデリカシーがないかのように振る舞う男だったが、本当はガラス細工でできた風鈴のように繊細な人間なのだ。唯の心の中で自分という男の占める場所が、真ん中ではない、ということに気づいていてまで、酔った振りを続けて欲求を満たすことなどできない人だった。

あの晩を境に、風太と自分とは男と女ではなくなったのかも知れない。

男女の友情は成り立たないなんて言われるけれど、稀《まれ》に成り立つこともある……男と女であることを、二人が同時に忘れた場合には。

だが、風太の選択が警察官だったことで感じた失望は大きかった。どうして権力側の人間なんかになるの？　公務員がそんなにいいの？　働きながらだって、司法試験の勉強は続けられるんじゃないの？

世間知らずだったあの頃の唯には、専業主婦を三十年近く続けていた母親とこれから大学に進学する妹の二人を抱えて社会に出るということの重さなどわかりようもなかった。司法試験をめざしながらのアルバイトでは二人を食べさせてはいかれない。かと言って、普通の会社に就職してしまえば法律の勉強などする暇はない。公務員でなければ格安の家賃で寮に入れない。警察官なら結婚しても官舎があるので新居に金をかけなくて済む。

それでも、そうした事だけが風太の選択の理由ではない気がしていた。少ししてようやく理由がわかった。風太が四回生の頃に知り合って交際を始めた女性が警察官の娘だったのだ。

風太が自分から去っていく。あの時、唯は理不尽にもそんなふうに感じていた。自分を捨てて、権力の側に立つ。一緒に弱者の側で生きていこうと理想を話し合った仲間なのに。あれも嫉妬だったのかも知れない。身勝手な思い。

風太が警察官になってから、しばらく会わなかった。唯は市内の弁護士事務所に勤め始めた。安定した企業に就職しなかったことで母親からは不満めいたことも言われたが、人権派と呼ばれ、特に女性差別の問題に取り組んでいることで名の知られた安西美樹子《あんざいみきこ》の事務所で働くことは、唯にとってかねてからの希望だった。風太のことはたまに思い出すこともあったが、制服に身を包んだ権力の象徴になった風太を見たいとはどうしても思わなかった。

そんな風太に、だが狭い京都の街で暮らしていてばったり出逢ってしまったとしてもそんなに不思議なことではない。風太はすでに恋人と婚約していて、しかもようやく制服勤務から念願の刑事になるために講習に通っている最中だった。

卒業以来四年。風太は見違えるほど逞《たくま》しくがっちりとしたからだつきになり、そして瞳はずっと鋭く光るようになっていた。だが唯も変化していた。卒業した頃の理想と正義感ばかり先走る感性はかなり削り取られて丸くなり、代わりに、世の中には理想だけではどうにもならないこともたくさんある、という現実を理解するだけ賢くなっていた。安西美樹子の事務所にいてさえ、警察が強硬に出なければ救われない被害者には大勢出逢った。この世界には、何らかの力でもってねじ伏せなければいくらでも増長し、したい限りを尽くして弱者を犠牲にする暴力というものが確かに存在するのだ。反発が消えたわけではなく、基本的に警察が嫌いだという感覚だけはどうしようもなかったが、それでも、正義感と法律に対するこだわりが風太を警察官にした、ということは、素直に信じられる気持ちにはなっていた。婚約者がたまたま警察官の娘だったからって、風太が目指した理想が低くなるわけではないだろうし。

良く言えば大人になり、悪く言えば狡《ずる》くなった。それはお互いにそうだったのだろう。

書店の雑誌売場で女性誌をめくっていた唯の肩を叩いた風太は、とても照れくさそうに笑って言った。よう、元気しとったか？　なんやおまえ、ちーとも変わってへんなあ。相変わらず化粧もせんと、色気もなんもあらへん。

その時、貴之を見た。

風太の後ろに立っていた、がっしりとした風太よりひとまわり細い、だが肩幅が広い男。風太のように鋭い目はしていなかった。その目は、穏やかに、そして好奇心でいっぱいになってきらきらと光っていた。

風太の剣道部の先輩。貴之は経済学部を出て、東京で大手の信用調査会社に勤めていた。その日は仕事で京都に来て、早めに片づいたのでたまたま非番だった風太と待ち合わせて、それから一杯やりに行くところだったのだ。待ち合わせが本屋というのは、学生の頃からの風太の習慣だった。唯は遠慮したが、風太に腕をとられてその内輪の飲み会に加わった。

記憶とは不思議だ。

あの夜のことをこんなにはっきりと思い出したのは初めてかも知れない。自分がそんなにも細かなところまで、貴之と最初に出逢った夜のことを憶えていたことを、唯はその時、初めて知った。

いや……

憶えていたのではなくて、これは夢なんだ。

唯は心地よい揺れと灰色の波の幻の中で気づいた。自分は今、あの日のことを夢に見ている。

あまりにも鮮明な貴之の笑顔に、唯は、夢の中でさえ泣き出しそうになる。

安い居酒屋で、出て来る料理はどれもこれも、冷凍食品を温めたようなものばかりだった。それでも三人でよく食べ、よく飲んだ。手にしたチューハイのジョッキの重さまで、唯は夢の中で実感した。貴之の笑顔の真ん中でこぼれていた歯の白さと、顎にうっすらと生えかかっていた髭の曖昧《あいまい》な青さを、唯はたとえようのない愛しさの中で見つめている。

あの晩、あの時すでに自分は恋に落ちていた。

夢の中で、それからの日々がゆっくりと、ビデオテープを再生するように繰り返される。遠距離恋愛が始まって、連休がどれだけ待ち遠しく思われたか。休みの時は東京から京都に向かう新幹線の方が混むので、会いに行くのはもっぱら唯の方からだった。まるで昔流行ったJRのコマーシャルそのままに、最終の新幹線に涙ぐみながら乗り込むのは連休の最後の日。東京駅は人で一杯で、貴之はいつも、お腹空いたらいけないからね、とシュウマイ弁当を買って手渡してくれた。貴之の仕事も唯の仕事も、休みの日まで詰まっていることはしょっちゅうで、会えるはずだった週末に離ればなれでいることも多かった。そんな土曜日の夜は部屋の電話の前でじっと待っていた。好きな音楽をかけていても、耳はメロディの中に電話のベルの音を探し続ける。一分一秒の長さに心が震え、鳴り出した電話の音だけで涙が溢れて流れた。

誰かに恋をすること。それは自分が自分でいられなくなる体験をすること。燃え上がる、という月並みな表現がどれほど的を射た的確な物言いなのか身をもって知った。心が火照り、からだが灼《や》ける。日常の生活の中で何を見ても聞いても、貴之に逢ったらこう話そう、こんなこと訊こう、貴之に逢った時には、と、離れている間が自分の人生ではないかのように、ただただ、逢いたかったあの頃。

プロポーズの言葉をどちらが口に出したのか、それだけはいくら思い出そうとしても思い出せなかった。電車の揺れに身を任せながらうつらうつらと考えていて、ふと、気づいた。貴之はあたしにプロポーズしていない。そしてあたしも、結婚して、とは言わなかった。

それでも二人は確かに結婚した。本当に自然に、二人の気持ちはあえて言葉にする必要もないくらいそれを当たり前のことだと感じていたから。その先の人生で、離れて暮らすなど想像できなかったから。

……想像できなかったのは、あたしだけなのかも知れないけれど。

口の中に酸味を帯びた猜疑《さいぎ》の味が広がっていた。

あの、燃え上がって、と感じていた日々もそれに続く結婚生活も、結局、自分の気持ちばかりが先走っていて貴之の心の中まで想像してみなかった、それだけのこと、そういう問題だったのかも知れない……つまり、貴之が突然いなくなってそして生きているのに戻って来ない、という結果がどうして生じたのか、その原因は、その理由《わけ》は。

貴之の心は燃え上がってなどいず、結婚もさほど望んでいなくて、そして、離れて暮らしたいと思っていたと考えてみれば、何もかも説明できてしまうではないか。

唯は、そう考えながらひとり笑いを噛み殺した。今さらそんなところに戻って考えたところでどうにもならないし、自分が捨てられたのだ、と悲嘆にくれてみることで気持ちを軽くしようとする試みは、嫌というほど試してみた。貴之の愛が冷めた、あるいは最初から愛されていなかったとはっきりわかるなら、それはそれでひとつの終わりであり、始まりになる。貴之のことを忘れる努力をしてもいいという許しになる。貴之のことを無責任で情の薄い男だったと責めて憎んでも構わないという状況にすら、なる。

心が楽になる。

楽になりたかったのかなりたくなかったのか、唯は、自分でもよくわからないのだ、と思いかえす。貴之のことなど忘れて新しい恋をして、貴之の失踪宣告を申し出れば戸籍上は死別、もう一度他の男と結婚だってできるようになる。いくらでもできたのにそれをしなかったのは、解放されたくないと思っている自分の存在に気づいていたからだ。

十年続いたこの中ぶらりんな悲しみに、慣れている自分がいる。慣れて、愛着すら感じ始めている自分が。

新潟で貴之を見かけたことは、その半端な、ぬるま湯のような地獄がいよいよ終わる時が来たことを意味していた。佐渡は小さな地域だった。知り合いの、新潟に事務所を持つ探偵も応援してくれることになっている。貴之はほどなく見つかるはずだ。

見つけてしまって、それからどうしよう。

生きているのに戻って来ないのは、裏切りの証拠なのだ。見つけてしまった貴之に、お願いだからあたしのところに戻って、と泣きながら言ってみたとして、貴之は何と返事をするのだろう。結婚生活はわずかに一年、離ればなれになって十年。絆はとうの昔に切れている。思い出すら、薄まって鋭さも熱さもなくしてしまった。

新潟が近づいて来る。唯はこの電車が突然停まって、そこから先へは進めなくなればいいのに、と、ふと思った。

貴之のすぐそばまで行けて、そこから先へは行けない、自分。

2

新潟港のフェリー乗り場は混雑していた。待合室の椅子に座り、腕時計を何度か確認する。電車が定刻通りに着いたので、約束の時間には十五分ほど早い。唯は佐渡と本土との間を行き交う人々の賑わいをぼんやりと眺めていた。

佐渡。あれからいくら思い返してみても、失踪する前の貴之の口から佐渡について聞いたことは一度もない。貴之の親戚にも知人にも、佐渡はおろか新潟と関係のある者はひとりもいなかった。金山と佐渡おけさ、その程度の知識しか唯は持っていない。その佐渡に、どうして貴之は隠れているのだろう。

隠れる？

自分で考えた言葉に自分で首を傾げる。貴之という男に、隠れるという言葉は似合わない気がした。少なくとも、自分に関することだけが原因で、十年もこそこそと隠れて暮らすというのは貴之のすることじゃない。絶対に。

そう考えを進めると、その先はいつも同じところに行き着く。貴之は、誰かのために、誰かと一緒に、佐渡にいる。


唯は大きくひとつ深呼吸した。海の匂いがからだの中に染み込むようだった。

先回りして想像ばかりしていても、どうせろくな結論には達しないのだ。自分で佐渡に渡って探すと決めたのだから、余計なことを考えるのは止めないと。

約束の時間に二分早く、待っていた相手が現われた。

今日の川崎多美子はいつもよりカジュアルな服装だ。だがフリースのスポーツジャケットの内側に真っ赤なセーターが覗いていて、唯は少し驚いた。私立探偵があんなに目立つ色のセーターを着るなんて、と一瞬思い、だが多美子ならそれもありかな、と思い直す。

片手を無造作にあげて多美子は合図とも挨拶ともつかない仕種《しぐさ》をした。唯は立ち上がる。

「フェリーの予約とってあるから」

多美子は腕時計を見る。金と銀のロレックス。本当に、探偵にしては派手だ。

「あなた、昼は？」

「まだです。駅弁でも食べるつもりでいて買いそびれて」

多美子は、よし、とうなずいた。

「まだ一時間あるし、昼御飯食べよう。何がいい？」

唯が答えるより早く、多美子はフェリー乗り場のビルの中にある食堂に向かって歩き出した。

食欲はあまりなかった。朝、マンションの部屋を出る前にトーストを一枚コーヒーで胃に流し込んだきり、もう午後四時近くになるが空腹を感じない。車窓から見えていた灰色の海が胃から喉まで一杯に詰まってしまったような気分でいる。それでも、唯は食べた。多美子と同じ海鮮定食というものを頼み、米粒ひとつ残さずに胃に収めた。私立探偵という仕事は、食べられる時に食べておかないと、半日以上何も食べる余裕がなくなることなどざらなのだ。いつも背中にしょっているデイパックの中には携帯用の栄養補給剤や健康補助食品の類《たぐい》が入ってはいるが、時間があるならきちんと食べて、そして食べたらすぐトイレに行っておくのが鉄則だった。多美子も唯と同じ主義らしく、食事が目の前にある間はほとんど無駄口をきかずにせっせと食べ、食べ終わるとまもなくトイレに立った。食後のコーヒーが運ばれて来た頃、ようやく二人とも落ち着いてレストランの椅子に座り直していた。

「で、さ」

多美子は煙を吐き出しながら唯の顔を見た。

「あんたの依頼は、あたしが直接手伝うことにしたからね」

唯は驚いて多美子を見た。

「でも、多美子さん事務所の方は……」

「あたしのとこはスタッフに恵まれてるからね」

多美子はふふっと笑った。

「あんたんとこみたいに、バイトの事務員しかいないのとは違うのよ。あたしが一週間やそこら仕事に出たってびくともしやしないさ」

「今はバイトもおいてないんです」

唯は言って、熱い茶をすすった。

「経営、きついの？」

「京都も探偵事務所が増えましたから……大手の支店も開設されてます」

「ブームだからね、この仕事は。もうじき日本もライセンス制度が導入されるって話だから、免許がいらないうちに開設しちゃおうって奴も多いし」

「ダンピングが激しくて、料金じゃ他に太刀打《たちう》ちできないです」

多美子は頷いた。

「だろうね。ひとりでやってたんじゃ、削れる経費にも限界あるもんね。どうしたって日当で応援頼まないとならないだろうし」

「バイトに出てる時間の方が長いです。他のとこの仕事を手伝って日当もらった方が効率いいですから」

「依頼人は増え続けてるってのに、儲からなくなるってのは不思議だよね、まったく。まあそれだけ、私立探偵に調査を頼むなんてのがごく日常的なことになった、ってことなのかも知れないけど」

多美子の声はしゃがれただみ声だったが、あまり遠くに届く性質のものではない。周囲には他の客も食事をしていたが、多美子は気にする素振りも見せなかった。多美子は、唯が知っている限りの優秀な私立探偵とは、ことごとく正反対のタイプのように見える。普通、優秀な探偵は繊細で物静かで、目つきは鋭いが笑顔は柔和なものだった。だが多美子はどちらかと言えばがさつでよく喋り、笑顔は見せても皮肉っぽさを拭うことができない。そして服装も派手、身ぶりも大きい。しかし彼女は確かに、飛び抜けて優秀な私立探偵なのだ。だからこそ、東京に大きな事務所を持つ他、生まれ故郷の新潟にも支所を持っていた。たぶん、彼女にはオリジナリティがあるのだ、と唯は思う。私立探偵という仕事には想像力が必要だ、というのは、唯が信頼している同業者の言葉だ。唯にはまだその真意が摑めていないが、多美子はそれを摑んでいるのだ、という気がする。一般的な優秀な探偵のセオリーなどとは違う、彼女独自の想像力で築きあげたオリジナリティを持っているから、多美子は強いのだ。そして自分にはそれがない。だから自分は、他の探偵事務所の手伝いくらいしかできないのだ……

「いずれにしても、他でもない下澤のダンナのことだしね、あたしもずっと気になってたからさ。それでどうなの、あんたの方は。ダンナが佐渡と何らかの繋がりがあったかどうか、何か出て来た？」

唯は左右に首を振った。

「夫の実家は伏見《ふしみ》で、両親とも夫が大学を出るまでに亡くなっています。夫には弟がひとり、四つ違いで、今は大阪の吹田《すいた》に住んで大手の家電メーカーに勤めてます。結婚して子供がいます。その弟の雅之《まさゆき》さんにも詳しく訊いてみたんですが、夫が新潟や佐渡と何か関係があったということは、何も思い当たらないと言ってます」

「その弟さんってのは、ダンナ捜しをしてくれてたわけ？」

唯は戸惑ってからまた首を横に振った。

「もちろん失踪当時はいろいろ手を尽くしてくれていました。でも四年前に生まれたお子さんが心臓疾患を持っていて、入退院を繰り返していますから、今は夫の行方を捜す時間的な余裕も経済的なゆとりもないと思います。わたしも雅之さんに頼るつもりはないし、むしろ、心配かけないようにしたいと思ってます。雅之さんは、佐渡と夫の間に何か繋がりがないかと随分調べてくれました。夫の小学校と中学の名簿は実家においてあったので、両親が亡くなってからもずっと雅之さんが管理してたんです。結婚するまで伏見の家は手放さなかったんです。でも、連絡がついた夫の同級生すべてに電話して訊いてみたけれど、新潟とか佐渡と関係のある人はいなかったし、夫が昔、そんな話をしていたのを憶えている人もいなかったと」

「小学校と中学じゃ無理かもね。昔過ぎる。あんたみたいな妻をほっぽらかして自発的に行方をくらますってのはよくよくのことだから、そんな昔の因縁じゃないと思う。小説だのなんだのなら大昔の因縁で人殺しだってするんだろうけど、現実にはさ、人間ってのは今の生活が何より大事でしょ。今の生活に直接影響がある事態にならない限りは、二十年も三十年も前のことにいちいちかまっちゃいられない。刑事事件に時効があるのもそういう考え方からなんだからね。もっとも、殺人の時効が十五年ってのは絶対短か過ぎるけど、あたしに言わせると。人殺しを忘れるには百年は必要だよ、ねえ」

多美子が無神経に殺人という言葉を持ち出したので、唯は胸に苦しさを感じた。だが多美子はまったく何も考えずにその言葉を口に出したのではない。まさに、多美子がもっとも危惧していることがそれなのだ。そしてその覚悟をしろと、唯に暗にほのめかしている。

それだけは……それだけは考えたくないことなのに。

「で、高校、大学の方はどうなのよ。大学の方は、ほら、ダンナの後輩とかいう刑事が調べてくれたんでしょ？」

「大学関係はあたしもツテがありますから、夫の後輩と二人で徹底的に調べたんです。でも……佐渡、新潟、あるいは日本海に関係したことはほとんど出て来ませんでした。一人だけ、夫と大学で同じクラスだった女性に新潟出身の人がいたんですけど、彼女は夫とはほとんど話したこともなかったそうで、卒業後は一度も会っていないと」

「その女が嘘ついてる可能性は？」

「ないと思います。その女性はもう結婚して東京の世田谷《せたがや》に住んでますけど、家庭もごく普通で。他の同級生にも探りを入れてみましたけど、その女性と夫とが特別な関係だったというような事実はひとつも出ていません。それにその女性の出身は佐渡ではないんです。六日町《むいかまち》でした」

「新潟ってのは縦に細長いし、海際と山沿いとではまるで気候も風土も違うからね……六日町か。直江津《なおえつ》まで出て船に乗ればそう遠いというほどではないけど……ま、あんたも職業柄、そういう勘は悪くないはずだからね。その女は無関係だろうね。とすると、高校時代か、卒業して勤めてからか……いちばん可能性が高いのは失踪直前にやってた調査についてだろうけど、消去法で潰してみたいのよ。高校時代の名簿とかはなかったの？」

「名簿は見つからなかったんですけど、夫が失踪して二年目だったか、卒業した高校に問い合わせて、夫が三年生の時の担任教師には会っているんです。今度もその人に電話して、佐渡で見かけたという話はしました。たぶん、当時の夫の同級生には連絡してくれたんだと思います。でも、佐渡や新潟との繋がりはわからなかったと電話を貰いました」

「素人の調査じゃ限界があるよ。高校時代の線は、今度の佐渡行きで何もわからなかったら洗い直してみる必要があるね。名簿のコピーをその先生から貰いなさいよ」

「頼んでみたことはあるんですけど……プライバシーの問題があるからと言われて」

「泣き落とすのね」

多美子は笑った。

「夫に蒸発されて悲嘆にくれる人妻の頼みを断れる爺さんなんていないって。まあいい、次。で、あんたの亭主が失踪直前にしていた調査については、あんたもこの十年でかなり調べてあるでしょうけど」

「事務所に残っていた調査報告書にあったものは、徹底して調べたつもりです。他の事務所の人にも頼んで、追跡調査してもらった依頼人もいます。でも、何も出ませんでした し、もう一度ひっくり返してみても、佐渡とか新潟に関係したものはひとつもないんです ……本当に、ひとつも」

「それってさ」

多美子は顎の下で指を組み合わせ、目を閉じていた。

「ちょっとおかしいって気がしない？」

「おかしい？」

「京都と新潟だよ。これが札幌と鹿児島とかいうんならわかるけど、京都と新潟なんて、金沢《かなざわ》経由したら乗り換え一回で来られるんだよ。下澤探偵事務所があんたのダンナがいなくなるまでに何件くらいの商売したのか知らないけど、ともかくあんたを養って事務所を維持していられたんだからそこそこの依頼はあったってことでしょ。その中にひとつやふたつ、依頼人が新潟出身だとか、調査ターゲットが新潟で生まれたとか、そんなのがいても不思議じゃないよね？」

「それは……でももちろん、生まれが新潟という人はいたかも知れません。調べられたのは、依頼人やターゲットが最近どこに住んでいるかとか、せいぜい、京都に来る前はどこで暮らしていたか、十年前くらいまでの範囲ですから……」

「そうだとしても、よ。たとえばうちの東京の事務所、あそこで扱ったここ半年の調査依頼だけ検索してもよ、新潟、ってキーワードで十七件もヒットしたのよ。佐渡関連だって三件もあった。まあね、新幹線があるから東京と新潟ってのは遠いようでいてすごく近いところになっちゃってるんだろうけど、それにしたって、京都もそんな遠いところって感覚は違うと思うのよね。そう考えると……あんたのダンナ、わざと新潟関係の仕事は受けないようにしていた、そういう説も成り立つんじゃないのかな」

唯は、何度も瞬きして多美子を見た。そういう発想は唯の頭の中には、今の今まで湧いて来なかった。

多美子はコーヒーをすすり、ゆっくりと煙草入れを取り出した。

「構わない？」

多美子の問いかけに、唯は半ば機械的に頷いた。多美子はキャスターマイルドに火を点けた。

煙が長く吐き出されるまで、唯は黙っていた。

「根拠ってのは他にないんだから、そんな食いつくみたいな顔で見ないでいいよ、下澤。ね、これは余計なお世話なんだけどさ、あんた、少し肩の力を抜きなさい。今まで十年我慢して耐えて来たんだから、あと少しお楽しみが先に延びたってどうってことないでしょ？　そのくらいに考えて佐渡に渡らないと、空振りに終わった時、立ち直れないよ」

唯は、はい、と答えてコーヒーをすすった。美味《おい》しいのか不味《まず》いのかわからなかった。

ただ、渋い、とだけ感じた。

「気持ちはわかるけど、なんて軽々しく言うつもりはないけど。惚れて一緒になった男に、突然いなくなられて十年も待ち続けたあんたの心の中なんて、あたしに見えっこないものね。でも、あたしだったらとっくの昔に諦めて他の男に乗り換えてただろうな、とは思うけど」

「たまたまなんです」

唯はなんとなくおかしくなって、ふふ、と笑った。

「最初の三、四年くらいは意地で、後は惰性というか習慣というか。心の中では、夫を忘れさせてくれる男が現われないかと心待ちにしていたんだと思います……自分でも、もうよくわからなくなっちゃったけど。たまたまそういう男が現われてくれなくて、生活に追われているうちに十年。でも自分でもわかってるんですよね。そろそろ潮時だって。いい加減にしないと、わたし自身の残り時間もそんなに多くないですから」

「そうだね」

多美子はまた長く煙を吐いた。

「あたしら女だしね。女は男より長生きするけど、女として機能できる時間は男が男として機能できる時間より短い。理由はどうあれ、あんたの亭主のしたことはただの身勝手なんだから、結局。いつまでもつき合ってやってる必要はないよ。いい加減にした方がいいと思う、あたしも」

　多美子は笑った。

「あたしさ、あの演歌の歌詞みたいなのって大っ嫌いなの。いつまでもあなただけを待ち続ける～なんての、バカ言ってんじゃねぇよ、って感じ。なんで女だけ待たないとなんないのさ。男は逆の立場なら待ってなんかくれるもんか、ねえ。きれいごとじゃなくてさ、この十年、もしあんたの亭主がまともな男のままでいるんだとしたら、他の女抱いてないわけないもんね」

「わかってます」

　唯は大きく肩を上下させた。

「生きてるあの人の姿をこのフェリー乗り場で見た時に、思いました。生きている以上、あたしを裏切っていることだけは間違いがない、って」

「それでも捜すわけだ」

「それでも捜します。捜して、すっきりしたいんです。今はもう……それだけかも知れない」

「他の女と暮らしていたら、どうする？」

「どうするかは、あの人に決めてもらわないと」

唯は笑って多美子を見た。

「こういう状態を引き起こしたのはあの人なんだもの」

多美子はゆっくりと頷いた。

「ま、ともかく今度の佐渡行きでダンナが見つかることに、あんまり期待かけないでいなさいね。それで、と……うちの方で調べられたのは、電話でも話したけどね、あんたのダンナが独立する前に勤めていた東京の、オリエンタル・シークレット・サービス、OSSってとこでどんな仕事してたか、なんだけど。OSSは業界では大手だけどね、あたしらみたいな浮気調査だの人捜しだのボディガードだのって半端仕事はあんまりやってないみたいなのよ。いちばん力を入れてるのは企業、それも中小企業の経営内容の調査みたいね。顧客の中心は、つまり金貸しってわけ。あんたのダンナも、入社してしばらくはそっちの仕事を専門にしてた。でも企業調査ってのは個人で行なうことはなくて、たいていチーム組んでやるのよね。それも、尾行だ盗聴だなんてことはあんまりやらない。取引先や銀行なんかに探り入れたり、インターネットで情報収集したりね。もっともあんたのダンナが勤めていた頃は、インターネットって今みたいに普及してなかったんだろうけど。いずれにしても、そういう仕事で個人的な因縁を抱え込む率は低いと思う。ただ、独立する二年前、あんたのダンナは部署が変わって、弁護士事務所関係の仕事をするようになった。もちろん、大部分が民事関連よ。細かいことはわからないけど、交通事故の示談交渉だとか雇用問題のもめ事だとか、民事専門の弁護士が抱える裁判に必要な情報を集めて来る仕事ってわけでしょうね。もしあんたのダンナの失踪がOSS時代にやった調査と関連してるとしたら、その弁護士事務所関係の仕事じゃないか、と的を絞ってみたの」

「わたしも随分、OSSの方には電話もしましたし、東京まで出て夫の同僚だった人とも話しました。でも……」

「教えて貰えなかったでしょ」

唯は頷いた。

「警察でも簡単には教えられないことだからと言われて」

「その点は我々も一緒だものね。裁判所の命令が出ない限りは、調査内容や依頼人については一切教えられない。それは仕方ない。だけどそこで引き下がってたんじゃ、川崎調査事務所の名がすたるからね」

多美子はニヤッとした。多美子が経営する川崎調査事務所は、ハイリスク・ハイリターンを営業方針にしているのだ。

「OSSの方のガードは堅いけど、顧客になってる弁護士の方は、全部が全部馬鹿正直ってわけじゃない。そこは業界の噂で、OSSに調査依頼してる弁護士事務所のひとつや二つはすぐ割り出せたから、イソ弁が多いところから狙って一本釣りかけてね、あんたのダンナの名前を知ってる人がいないかどうか聞いてまわったわけ。で、やっと見つけたのがこいつ」

多美子はA４判のコピー用紙を茶色の封筒から取り出した。

「堤《つつみ》幸作《こうさく》、橋田《はしだ》要一《よういち》弁護士事務所にいるイソ弁で、もうじき自分の事務所持つらしいよ。あんたのダンナに裁判の調査を頼んだのは一九九一年の二月。当時、こいつはまだ駆け出しでね、あんたのダンナに随分助けてもらったんだって。あんたのダンナが失踪したってことは知ってた。で、残された奥さんがものすごーく苦労してて可哀想なんだって言ったらさ、教えてくれたわけよ。一九九一年、土地の境界線のことで揉めて民事裁判になった二家族があってね、橋田の事務所は原告側の弁護を引き受けたのね。で、あんたのダンナは、相手側の家庭の事情を探った。つまり被告側、訴えられた方ね。堤はさすがにそれしか教えてくれなかったけど、それだけ判れば裁判所の記録を調べてもらえば出て来るからさ。で、出て来たのよ。原告の名前は」

多美子は別のコピー用紙を取り出した。

「桜井《さくらい》健二《けんじ》、まあこれはどうでもいい。問題は被告側。訴えられたのは渋川《しぶかわ》さわ子、女なのよね。と言っても当時で五十七だからこの女とあんたのダンナがややこしい関係になったわけはないんだけど。それに調査の方は首尾よくいって、裁判は原告が勝訴してるから。ただこの一件がひっかかるのはね、この渋川さわ子って女の出身が、佐渡なのよ」

多美子は、腕時計を見て立ち上がった。

「船が出るから行こう。あとは船の中で話すよ」

　佐渡に渡るのは初めての体験だった。

　唯は船酔いを心配していたが、新潟駅あたりで吹いていた風が嘘のように、海上はおだやかだった。

　本土から佐渡に渡るにはいくつか航路があるが、距離が短いのは寺泊《てらどまり》から赤泊《あかどまり》のルートになる。だが、波が穏やかな新潟から両津《りょうつ》へのルートが一般的で利用者も多く、両津は佐渡でいちばん大きな町になっている。他には直江津から小木《おぎ》に至る航路もあるが、多美子の説明で、目的地の佐和田《さわた》温泉には両津を経由した方が近いとわかった。

「先入観は失敗の元だからね、いちおううちの新潟事務所の方から人をやって、佐渡全域で少しは顔のきく警察関係者なんかにあたらせてはみたのよ。あんたのダンナの顔写真持たせてて。でも今のとこ、反応はない」

「考えたら、佐渡に住んでいると決まっているわけではないですものね……うちが見たんは船に乗るとこだけやったんやから」

「ちょっとリラックスして来たじゃない」

　多美子は、窓から海を見つめたままの唯の肩を軽く叩いた。

「関西弁がやっと出た。そう、あんたのダンナが佐渡に住んでるなんて保証はどこにもない。あんたが見たのは、ダンナが何かちょっとした用事で佐渡に行くところだったのかも知れないし、もしかしたら、他人の空似《そらに》だったのかも知れない」

「いいえ、あれは貴之やった」

「それはあんたがそう信じてるだけのことで、事実かどうかはわからない。いいのよ、調査に徒労はつきものなんだし、人捜しってのは、考えられる可能性を潰しながらターゲットを追い詰めてあぶり出す作業なんだからね。佐渡をとことん調べて、佐渡がだめだったらまた振り出しに戻ればいい。ともかく、あんたのダンナが佐渡にいると仮定してよ、少なくとも警察のごやっかいになったり、町の有名人になったりってことはない、それは確か。つまり、あんたのダンナは、もしあの島に住んでいるんだとしたら、島に溶け込んでるってことになるね」

多美子が顎をしゃくった。いつのまにか、佐渡の黒々とした姿が目の前に見えていた。さっきまで何も見えていなかったのに。

「思ったより大きいでしょ」

多美子が言う通り、島は想像していたよりずっと大きい。

「佐渡ってのは、流人《るにん》の島のイメージからかしらね、なんかちっこい島みたいに思われてるけど、日本の島の中では巨大な部類なのよ。南と北とでは気候も違うくらい。だからあんたが想像してるほどには閉鎖的なところじゃない。かと言って、もちろん、都会はない。中途半端なんだね。その中途半端さが、よそものが入り込むには丁度いいのよ。いちおう観光地だからホテルや旅館が多いでしょ、新潟以外の土地から働きに来てる人間がいてもさほど違和感がない。でもまあ、ちょっとでも大きな町と呼べるのは両津くらいだから、あんたのダンナがいるとしたら両津の可能性が高いだろうけど」

「佐和田というところはどんなところなんですか？」

「行ったことないから知らない」

多美子は笑った。

「判っているのは、渋川さわ子が佐和田の出身で、さわ子の叔父が旅館やってるってことだけ。さわ子は高校卒業と同時に佐渡を出て東京に行ったのよ。まだ細かいとこまで調べはついてないけど、東京でお菓子の会社に就職したらしい。でもその会社の本社が千葉に移転することになった時、退社しちゃったみたいね。せっかく東京で暮らしてんのに千葉くんだりに行くのは嫌だと思ったのか。で、その後、繊維の卸《おろ》し会社に勤めてたんだけど、結局、二十三、四の時に夜の女になったらしい。まあよくあるケースよ。東京で暮らすってのはお金がかかるからさ、てっとりばやく欲しいものを買うお金を得ようと思ったら、女と若さを売り物にするのがいちばん楽だもんね。後はずっと夜の商売わたり歩いてて、三十越えたとこで結婚したの。で、娘を生んでる。名前は、雪《ゆき》。空から降って来るあの白いやつ。古風な名前だよね。でも名前は古風だけど考え方は飛んでた子だったらしくて、十七の時に家出、以来行方知れず」

唯は、思わずごくり、と喉を鳴らした。その音を多美子に聞かれたと思ったが、多美子は知らない顔のままでいる。

「亭主の菊池《きくち》なんとかって奴は、トビ職人でけっこういい収入があったらしいんだけどね、絵に描いたみたいな飲む、打つ、買うだったらしくて、雪が三つの時に離婚してる。以降、さわ子はスナックを経営しながら雪を育ててたわけ。女がひとり、夜の商売で生きていくんだもの、男の出入りだってあって当然、そりゃ世間の専業主婦みたいにこぎれいじゃいられないわよね、でも多感な年頃の女の子には、そういう理屈はわからない。家出してどこに行ったやら……あんた、どうせ気にするなって言っても気にするんだろうから言うけど、あんたのダンナが失踪した時、この雪って子は二十一になってる計算だよね。あんたより若い」

そこまで言わなくてもいいのに、と、唯は唇を噛んだ。

船が減速し、揺れた。両津港に到着した。

3

両津の町は佐渡でいちばん大きいと多美子から聞いていたのに、京都の四条河原町を小さくしたような賑わいを想像していた唯は、その慎ましやかな商店街に驚いていた。ひとつおりの店は並んでいるが、その並びだけで生活に必要なものをすべて調達しろと言われたら、数ヶ月で飽きてしまいそうだ。何より、若い人が好みそうな店がほとんどない。唯は新潟駅前の人混みや、フェリー乗り場の賑わいを思い出した。人々は何やかやと本土に出向いているに違いない。逆に言えば、この島は閉鎖的な場所ではないのだ。本土との感覚的な距離はとても近いだろう。貴之がこの島に住んでいる、という可能性が早くも薄れたような気がしていた。何かの用事に佐渡に渡るところを見ただけだとしたら、貴之はもうこの島にはいない。

それでも、渋川さわ子の存在が貴之と佐渡とを結びつけたことは確かだった。あまりにも頼りない、ただの偶然のような結びつきではあったけれど、それでもこの十年捜し続けていた中ではいちばん太い真実への絆なのかも知れない。

・

港で借りたレンタカーのハンドルは多美子が握っている。仕事と観光とで何度か佐渡に来たことがあるが、これから向かう佐和田温泉にはまだ行ったことがないらしい。半分だけ開けた助手席の窓から風が吹き込んで唯の頰を気持ち良く撫でた。潮風の匂いが薄れて、少しだけ生臭い生け簀《す》のような匂いが漂って来る。両津には大きな湖があり、その加《か》茂《も》湖の匂いだろう。ほどなく、それまでの狭い道路から広くて新しい道に出る。交通量も多く、道の両側にはようやく、若い人たちが好みそうな店が現われた。ファミレス、レンタルビデオ店、パチンコ店、ファーストフード店。大型のスーパーやディスカウントの家電の店。日本の、都市から郊外に向かう国道沿いはどこでも本当によく似ていた。

「若い子はこのあたりに集まるんでしょうね」

ハンドルを握る多美子も道の両側の景色を顎で示して言った。

「佐渡ではここぐらいだものね、今が平成の時代なんだって納得できる場所って。他はどこもかしこも、昭和四十年代に戻ったみたいな雰囲気よ。ま、それが素朴で懐かしい感じがして、観光客にはいいのかも知れない。でも若い子はたまんないわよね。高校を出たら島を出たいと思う子は多いだろうな。あたしもそのくちだったから」

「多美子さんは佐渡ではないんですよね？」

「うん。柏崎《かしわざき》。あそこも田舎よ。今はそこそこいろんなもんがあるみたいだけど、二十年前はね……テレビドラマで東京の風景が映るたびに、一日も早く新潟を出て東京に行きたいと思った。でもね、親はあたしを大学に通わせるってだけでもういっぱいいっぱい、地元の公立にしてくれないと学資も出せないって言われて。それで、東京の二部を選んだの。親が銀行にかけあっていくらか学資ローンを借りられたんで、そのお金を親から預かって、入学金と一年分の学費払って、四畳半一間でトイレから炊事場まで共同のアパートを借りた。昼間は浅草橋《あさくさばし》の雑貨問屋で事務やってたのよ。フルタイムで働くのに、残業ができないから正社員にはして貰えなくてね。五時に仕事が終わると駅まで走った。それでも、授業に間に合わせようと思ったら夕飯食べてる暇もないの。自分でも、よく頑張ったなあ、と思うわ、あの頃。若かったんだね。下澤はずっと京都？」

唯は頷いた。

「高校の時に父親が死んだんで、東京に出るのは諦めたんです」

多美子は笑った。

「京都なんて柏崎からみたらすごく都会なのに、それでもやっぱり東京が良かったんだ」

「特に東京に憧《あこが》れたっていうんやないけど……やっぱり、若い時って身の回りの環境をすべて変えてみたくなる瞬間があるんやと思います」

「身の回りの環境を、か……最後には、元のままがいちばんいいって気づくんだけどね、たいていは」

国道三五〇号線をひたすら進むと真野《まの》湾に出る。波の荒い日本海に面しているのに大きく深く内側に入り込むようにカーブしたゆるやかな海岸線が、ゆったりと湾を形成し、荒波を吸収しておだやかな海に変えている。夏場は海水浴で賑わうあたりらしく、温泉がいくつか並んでいるので観光ホテルなども建っていた。

佐和田温泉は、その真野湾の北側にある温泉地だが、けばけばしい温泉ホテルが立ち並んでいるというのではなく、国道沿いに料理旅館が数軒並ぶ程度の、情緒のある町だった。

「さわ子の叔父はもう八十を超えてるらしいから、旅館の経営はその息子、さわ子の従弟がやってるみたいね。いちおう、部屋を予約した時に、さわ子のことで聞きたいことがあるって正直に話してあるから」

「さわ子さんはその従弟の人と、連絡をとっているんですね？」

「ううん」

多美子は首を横に振り、それから小さな溜息をひとつついた。

「バッドニュースなんて言いそびれたけどさ……渋川さわ子はね、去年、肝硬変で死んでるの。あと一年早くさわ子とあんたのダンナが結びついていたら、直接話が聞けたんだけどね……十数年前の裁判に負けて土地の境界線を下げないとならなくなった時、頭に来たんでしょうね、さわ子は持っていた土地と家を売り払って、しばらく五反田《ごたんだ》あたりにいたみたい。それから四年前に、十八の時に捨てたこの町に戻って来たわけ。それで叔父さんがやってる旅館で二年ほど働いてたんだけど、肝臓をやられてるのがわかって入院して、そのまま退院できなかったみたいね。離婚して娘には家出されて、ツイてない人生だったみたいだけどさ、最後は故郷で静かに終わった。そういうこと」

唯は軽いショックを頭から振り払うために、窓を大きく開けて、また強くなっている潮の匂いを吸い込んだ。あと一年早くこの土地に来ていれば、渋川さわ子の口から直接、貴之の消息が聞けたかも知れない。生きているさわ子と話ができなかったことが、貴之と自分との縁が切れたことを意味するとしたら。

唯は、不意に瞼に熱を感じ、頬に涙が伝っているのに気づいた。慌てて膝の上に置いたデイパックからハンカチを取り出す仕種を、多美子はちらっと横目で見たが何も言わなかった。

渋川さわ子の叔父が経営するという旅館は、佐和田温泉のメインストリートに沿って広い間口を設けた純和風の温泉旅館だった。駐車場に車を停め、『しぶ川』と旅館名が染め抜かれた暖簾《のれん》をくぐって玄関のドアをあけると、遠くでチャイムが鳴る音が聞こえて、半白髪を上品に結い上げた小柄な女性が和服で出迎えてくれた。さわ子の叔父の妻にしては年が若すぎるので、さわ子の従弟の妻だろうと見当がついた。

「ようこそいらっしゃいませ。遠いところ、お疲れでしょう」

ごく普通の泊まり客に対するのと同じに、女将らしいその女性は腰を折って挨拶してくれ、二人を和室に案内した。

畳が真新しく、い草の清々《すがすが》しい香りと、強い磯の香とが入り雑《ま》じってどこか官能的な空気を溜め込んだ部屋だった。

「すぐに主人が参りますので、どうぞおくつろぎください」

女性は自分の名前も名乗らずに、茶だけいれて引き下がった。

多美子が障子を開けた。よくある縁側ふうの小さな板の間があり、その向こうのガラス戸の中に、もうほとんど夕闇に沈んだ日本海が、灰色に見えている。海が近い。近過ぎて、不安になる。

「ここの温泉って冷え性によく効くらしいよ。後で入ろうね」

多美子の声はとてものんびりしていて、休暇で温泉に泊まりに来た、という感じがした。多美子は多美子なりに、唯の心の中に対して気をつかってくれている。唯は、不覚にも涙を見せたことを後悔した。今さら泣くくらいなら自分で捜そうなどと思わなければよかったのだ。自分がいなければ、多美子は余計な気をつかわずに、ビジネスとして貴之捜しに集中できる。唯は、甘えるな、と、口の中で呟いて自分の手の甲を爪《つね》った。痛みが心地よく唯の気持ちを引き締めた。

多美子と二人、向かい合って茶をすする。多美子は茶に添えられている和菓子の包みを剝《む》き、ゼリーのようなもので固められた藤色の菓子を口に入れた。

「甘過ぎだね」

文句を言いながらまた茶をすすり、ふっと気を抜いたように笑った。

「仕事じゃなくてさ、こんな田舎の温泉でのんびり二、三日過ごせたらいいのにね。ね、下澤、今度二人で行かない？　そうだねぇ……紅葉の頃にさ、東北とかどう？」

「いいですね」

唯は心からそう言った。

「行きたいな……」

貴之がいなくなってから、純粋に楽しむための旅行には一度も出ていない。家を空けるのはいつも仕事でだった。

胸のポケットで携帯電話が振動した。表示を見る。事務所にかかった電話が転送されている。

唯は立ち上がり、海が見える板の間に出てから通話ボタンを押した。

「もしもし？」

「あの、今津です」

今朝、出かける寸前に電話をかけて来た若い女だった。

「下澤です。ご決心、つきました？」

「はい……お願いしたいんですけど」

「わかりました」

唯は通話を録音するスイッチを押した。

「今、出先ですから、簡単におおよその依頼内容だけお聞かせください。素行調査でしょうか？」

「浮気の」

今津慶子の声は小さくなって消えてしまいそうだった。

「恋人の浮気調査をしてほしいんです」

「素行調査ですね。調査方法としては大きく分けて二つあります。一定期間、時間を決めて毎日尾行する調査、もしくは、あらかじめその恋人の男性が相手の女性と会っているだろう可能性の高い日、時間などが予想できるようでしたら、その日を狙って尾行する方法ですね。詳しいことはやはりお会いしてからお訊ねした方がよろしいかと思うのですが、今津さんとしては、恋人の男性がそうした行動をとっていらっしゃると思われる根拠がおありなんですよね？　その根拠をお聞かせいただけると、どんな方法で調査するのがもっとも効率的か判断できると思いますが」

「なんとなく、わかるんです」

今津慶子は、半分泣き声になっていた。

「なんとなく、今までと違うの。他につき合っている女の子がいる、そんな感じがするの」

唯は、携帯電話を持ったまま躊躇った。最初に電話を受けた時から声が若い、ということには気づいていたが、落ち着いた話し方なので二十歳くらいだろうかと考えていた。だが、今、べそをかいたようになって話している今津慶子の声は、唯の想像よりずっと幼く聞こえる。

未成年だ。それも……ローティーン？

私立探偵は資格職業ではなく、当然、調査依頼するのに年齢制限などはない。小学生でも探偵を雇うことはできる。だが正規の調査料を受け取るとなると話は微妙だ。少なくとも、子供の小遣いで雇えるほどには探偵料は安くない。今津慶子がそれだけの貯金を持っているにしても、ローティーンの女の子に数十万の金を請求するのは、社会通念的に問題があるだろう。

かと言って、見ず知らずの子供に頼まれてタダで尾行してやれるほど、下澤探偵事務所の経営状態にゆとりがあるわけではなかった。

「あの、失礼ですが」

唯は、相手を怒らせないよう静かに言った。

「未成年の方でいらっしゃいますか？」

しばらく間があった。どう言い逃れようか考えている、そんな沈黙だった。

「高校生です」

慶子は言った。

「でも、お金はあります！　変なこととして稼いだお金じゃなくて、お年玉を貯めたお金です！　調査して貰いたいの。どうしても、あたし、知りたいの！」

唯の頭の中に疑念が湧いた。だが同時に強い好奇心も感じていた。今津慶子というこの依頼人に、ともかく一度会いたい、と思った。

「わかりました。調査料が高額になる可能性がありますから、未成年の方の依頼がお引き受けできるかどうか検討してみないとなりません。調査方法によって金額も変わりますから、やはり詳しい話をお伺いしてからお引き受けするかどうか決めたいと思います。それでよろしいでしょうか」

「はい」

慶子は挑むように強く言った。

「いつ事務所に行ったらいいですか？」

唯は、一週間は戻れない、と言おうとして思い留まった。慶子の依頼は切羽詰まっている。少なくとも、慶子の精神状態はそんなに悠長な返事を受け入れられる感じではない。新幹線を利用すれば、明日の夜ここを出ても最終の新幹線で京都には夜中に戻れるから、明後日に今津慶子の話を聞いて、そのまま、またここに戻ってくればいい。明日一日、この町で多美子と手分けして調べてみれば、貴之が渋川さわ子と繋がりを持っていたかどうかくらいの見当はつくだろう。ちょうど明後日は土曜日、午後なら慶子も都合がいいに違いない。

唯は、土曜日の午後一時に、と指定して、事務所の場所を教えた。慶子は安心したような様子で電話が切れた。


「明後日の午後に依頼人と会わないとならないの。明日の夜、一度京都に戻ります」

唯が告げると、多美子は二つ目の菓子を口に入れて頷いた。

「商売繁昌で結構、結構」

「ごめんなさい、勝手して」

「バーカ」

多美子は笑った。

「あんたは依頼人なんだよ、この件では。あんたからはしっかり調査料貰うつもりなんだから、ほんとならあんたは、京都でおとなしく待ってればいいの。何もいてくれなくていいんだよ、ここには、ね」

「足手まとい？」

唯が多美子の正面に座って訊くと、多美子はすまして頷いた。

「そうよ。考えてごらん。あんたのダンナがあんたから逃げて消えたんだとしたらさ、あんたの姿見たらどっかにまた行方くらましちゃうじゃないの」

「あたしから、逃げた」

唯は繰り返した。怒りも悔しさもない。事実だ、と思った。

「わかってると思うけど」

多美子は茶を飲み干した。

「探偵ってのはいつだって、依頼人を傷つけるもんなのよ。どんな調査結果が出たって傷つくんだ、依頼人は。下澤、あんたも例外じゃない。今まではダンナが自分の意志で消えたのかどうかわからなかったから、あんたはダンナを捜すことができた。でもね、先月あんたは、生きているダンナをその目で見てしまった。もう言い逃れも、理解できないふりもしちゃいられないのよ。あんたのダンナは自分の意志で失踪した。あんたを捨てて。それは事実で、そこから目をそらすことは、もう、できない。だとしたら、それでもダンナを捜すことは、そのまま、あんた自身をズタズタにすることになるかも知れない。もちろん、その覚悟はできてる。でしょ？」

唯は頷いた。

「できてます」

嘘ではなかった。覚悟はあった。むしろ、それを望んでいるのかも知れないとさえ、思った。貴之の裏切りを突き止めて、そのことでぼろぼろになる。ぼろぼろになれば憎むことも忘れようと努めることもできる。貴之の存在を、自分の人生から抹殺してしまえる。

この十年間を、終わりにできる。

不意に、凍るように冷たい砂の上で、自分のからだにのしかかっていた男の重みを思い出した。

あの男は、余りにも若くて余りにも美しいものに恋をした。そして、その美しいものが決して自分のものにはならないことを知っていた。それなのに、その美しいものは自分の腕にぶら下がって甘え、柔らかですべすべとした頰やふっくらとした唇をすりつけ、甘酸《あまず》っぱい体臭を塗りつけたのだ。あの男の心に。

男は、終わりにしたいと願った。そして、どうしても諦めることができない想いを終わりにしてしまうために、その美しいものを獣に投げ与え、目の前から消してしまった。

あの男と自分は同じなのだ。唯は思う。

貴之との楽しかった思い出や、貴之を愛しているというこの気持ち、そうしたものをすべて、思いきり引き裂いていちばん汚いところに投げ込んで、それで終わりにできたら、と願っている。そうすることで死ぬほどの苦しみを味わうとわかっていても、このまま、生殺しのままで続いていく未来がたまらなく怖い。

「お待たせいたしました」

襖《ふすま》の向こう側で声がした。

「入らせてもらってよろしいでしょうか」

「どうぞ」

多美子が返事すると、ごま塩頭をきちんと櫛《くし》で整え、和服を着こなした男が入って来た。六十ぐらいだろうか、もっと若く見えるが、渋川さわ子の従弟に違いないのでそのくらいの年頃だろう。

「渋川正孝《まさたか》と申します」

渋川は名刺を出して多美子と唯の前に置いた。二人もそれに応じてそれぞれの名刺を渋川に手渡した。

「こんな田舎まで、ようこそお越しでした」

渋川はもう一度頭を下げた。

「何にもありませんが、温泉の湯と魚だけは自慢です。ゆっくりおくつろぎください……と申し上げたいところなんですが、お電話ではなんや、さわ子さんのことをお尋ねとか？」

「渋川さんはさわ子さんの従弟さんだと伺ってますけれど」

質問は多美子がすることになりそうだったので、唯はただ黙って正孝の顔を見ていた。

「さわ子さんは昨年、こちらの病院で亡くなられたとか？」

正孝は頷いた。

「さわ子さん……さわちゃん、とわたしらは呼んでましたが、あの人はわたしの父の兄の娘さんになります。長いこと、この佐和田を出て東京の方で暮らしていたんですが、四年ほど前に突然戻って来ましてね。仕事はないかと言うんで、たまたまうちも人手が足りなくて困ってた時でしたから、仲居仕事でええんなら働いてもらおうかということになりまして。詳しいことは知らなかったんですが、東京では長いことその……水商売をやっとったらしくて、さすがに客あしらいも上手《うま》いし愛想もええし、正直、助かっておったんです。けど……かわいそうなことをしました……体調が悪い、疲れやすいとは言うてたんですが……検査した時にはもう、肝臓がかなりやられておってねぇ。最後は、両津の病院で亡くなったんです。さわちゃんの実家はとうの昔に両親とも亡くなって、他にきょうだいもおらんで、さわちゃんは天涯孤独の身でした。葬式もわたしらが出しましたが、最期が故郷《ふるさと》やったのは、あの人のためにもよかったと思います。葬式には、昔の学校の同級生が何人か来てくれてました」

「さわ子さんに娘さんがいらしたことは？」

「聞いてます。でも……葬式にも顔を出さなかったですよ。さわちゃんも行方知らずやて言ってましたから、本当にどこにいるのか知らなかったんでしょう。わたしら夫婦も父も、顔すら知りません。写真も見せてもらってませんし、さわちゃんも、娘のことは触れられたくないみたいな感じでしたからね」

「実は、お電話でもご説明しましたが、わたしたちはこの人を捜しているんです」

多美子が写真を茶封筒から取り出して正孝の前に置いた。貴之の写真だった。唯が多美子に送った、失踪する直前に写したものだった。

「十年前のものですから、今は感じが変わってしまっているかも知れないのですが」

正孝は写真を手に、かなり長い間黙っていた。もともと誠実な人柄なのだろう、その顔に見覚えはないかと真剣に考えている様子がうかがえる。だが、最後に正孝は、ゆっくりと首を左右に振った。

「申し訳ありませんが、見たことのないお人だと思います。少なくとも、この佐和田にはおられません。何しろ小さな温泉町ですから、町の者の顔は年寄りから子供まで知っておりますので。しかし、この方がさわ子さんとその……何か関係が？」

「関係があるかないか、判っていません。ただ、さわ子さんが東京で、土地のことで裁判をされた時、その裁判に関する調査にこの人が関わったことがあったんです」

「土地の裁判？」

「何もお聞きになっていませんか」

「いや……そう言えば、土地のことで揉めたことがあるとはちらっと聞きましたが」

「よくある隣家とのトラブルだったようです。庭の境界線をめぐって。隣家の主だった方が亡くなられてお子さんが土地を相続され、登記簿と実際の土地とをつき合わせてみたら、さわ子さんの家の塀が本来は隣家の土地である部分に設置されていることが判って、登記簿に沿って塀を引っ込めてくれるよう要請したようなんですが、さわ子さんは拒否されて、それで裁判になったんです」

「東京の土地は高いから、そんなちっぽけなもんでも裁判になるんですな。しかし、さわちゃんはそんな細かいことは何にも話してくれんかったから」

「この人の顔を見たことがない、というのは確かですか？」

多美子がもう一度訊いた。正孝は頷いた。

「佐和田だけでなく、このあたり一帯、おおよそどんな人間が暮らしているか知っているつもりですが、見たことのない顔です。しかし……八幡《やわた》温泉にはいくつか大きな温泉ホテルがあります。そっちは従業員の出入りが激しいですからね、佐渡の人間以外にも大勢働いてますし……」

「さわ子さんは両津の病院に入院されていたとおっしゃいましたね。そちらの病院へは、よくいらっしゃいました？」

「いや」

正孝は後悔しているような顔になった。

「仕事がありますから……わたしの親父はいちおうここの経営者ということになってはい

ますが、もう歳ですから寝たり起きたりです。妻は、先程お目にかかりましたが、女将として忙しい思いをさせてますから、さわちゃんの見舞いに行けとは言えませんでしたし。それでも、月に一度か二度は買い物ついでに見舞ってくれていたようですが。わたしも、両津の旅行社との打ち合わせに出た時は、できるだけさわちゃんのところに寄るようにはしてたつもりですが、頻繁に、というわけには」

「さわ子さんのところには、他にどなたかお見舞いにいらしていたという形跡はありました？」

「さあ……わかりません。見舞い客がいたら、花やら果物やら、病室にあってもおかしくないですよね。少なくともわたしは見たことがないなあ。妻もそんな話はしてませんでした」

正孝から得られる情報は、もうなさそうだった。多美子が唯に目配せしたが、唯は小さく首を横に振った。唯の職業的な勘でも、正孝が何か隠しているようには感じられなかった。

多美子が正孝に礼を言い、正孝は頭を下げて部屋を出て行った。

「せっかくだから、温泉に入ろう」

多美子は押し入れを開けて、畳まれた浴衣を取り出した。

「渋川正孝はこの町でずっと暮らしていたわけだし、あんたのダンナみたいなよそものが町にいたら気づかないってことはないね。この町でこれ以上調査しても、無駄かもね」

「明日はどうします?」

「渋川さわ子が入院していた病院に行ってみる。あんたのダンナがさわ子の周辺にいたとすれば、病院で誰かに姿を見られているかも知れないからね」

昔ふうの温泉旅館だったので、湯舟で泳げそうなほどの大浴場はなかったが、男女別になったこぢんまりとした風呂の湯はたっぷりとしていて、湯舟は深く、腰を沈めると肩まで湯の下に沈んだ。部屋にあった温泉の案内に書かれていた通り、コーラのような茶色の湯で、湯温はさほど高くなかったが、数分つかっていただけで汗が噴出して来た。あがって部屋に戻ってからも全身がぽかぽかと暖かく、湯冷めしない湯、という売り文句は伊達《だて》ではないなと思わせた。

夕食の仕度がととのうまでの間、浴衣のままで多美子と二人、板の間に置かれた椅子に座って、真っ暗な海を見つめた。多美子は缶ビールを飲んでいる。温泉につかっている間は、貴之のことは話さなかった。業界のことや最新の盗聴器の話など、ほとんど多美子がひとりで喋っていた。喋り過ぎたのと湯疲れとでなのか、今はもう、多美子も口数が少ない。

「この海の向こうはよその国なんやね」

唯は、誰に言うともなく呟いた。

「陸は遠いんやろか」

「泳いでは無理でしょ」

多美子は笑った。

「でも、亀の背中に乗って朝鮮半島まで流された人ってのはいたらしいよ。だからまあ、近いって言えば近いね」

「あの人」

唯は、多美子のほうは見ないままで言った。

「あたしに捜して欲しくないと思ってるんやろか」

多美子がビールを飲み干す喉の音が、ごく、ごくと微《かす》かにしている。ガラスは厚く、湾の内側は凪《な》いでいるのか、波の音は聞こえない。

何か言って欲しかったのに、多美子は何も言わなかった。多美子は弱虫が嫌いなのだ、と、唯は思った。

貴之と自分との間に横たわる海は、このガラスの向こう側にある海よりも果てしなく、陸は、遠い。

4

　翌朝、渋川夫妻の心づくしの朝食をゆっくりと味わう暇もなく、二人は両津に戻った。渋川さわ子が入院していた病院は、想像していたよりもずっと小さかった。さわ子の記録はすぐに調べて貰えたが、病名などについては患者の秘密ということで説明を断られた。それでも、さわ子を看取《みと》ることになった看護婦に話を聞くことができた。

「ずっと六人部屋に入ってらしたんですけど、亡くなる二日前に吐血されて、危篤状態になられましてね」

　梅原《うめはら》、という名札をつけた三十代くらいの恰幅《かっぷく》のいい看護婦は、さわ子が吐いた血の色でも思い出したのか、眉をぎゅっと寄せて小声になった。

「静脈瘤破裂、という症状です。肝硬変ではいちばん怖いんですよ。大量に吐血されて、そのまま亡くなられてしまうことが多いんです。渋川さんも危篤になられたので、すぐにお弟さんでしたか従弟さんでしたか、親戚の方にご連絡し、個室にうつっていただきました。治療としては最善を尽くさせていただいたはずです。渋川さんの肝硬変は入院された時すでに、大変進んでいて……」

「入院はどのくらいの期間だったのでしょう」

「えっと……詳しいことは事務室に問い合わせたらわかると思いますが、一年はおられなかったと思います」

「ずっと六人部屋でした？」

「そのはずです……あの、つまり、うちでは六人部屋がいちばんベッド代がお安いですから……」

さわ子は自分の金で入院していたのだろうか。差額ベッド代まで従弟の世話になることはできなかったのかも知れない。土地の境界線のことで隣家と裁判沙汰になるほど勝ち気な性格だったとすれば、正孝が金を出してやると言っても断るくらいのことはあっただろう。いずれにしても、看護婦が経済事情を憶えているほど、さわ子の身なりや入院中の生活は慎ましやかだったということだ。

「渋川さんのところに、どなたかお見舞いの方がいらしていたかどうか、ご記憶にありませんか」

多美子の問いに、看護婦は即答した。

「ご親戚の方がお二人、交互でいらしてましたよ。渋川さんの話では、身内と呼べるのはその方々たちくらいで、故郷なのに親しい人は他にいないと」

多美子はまた貴之の写真を取り出して、見憶えがないかと看護婦に訊ねた。唯は期待して看護婦を見つめたが、看護婦はあっさりと首を横に振った。

「知らない人ですね。患者さんにもこんな人はいませんよ……いたらわかると思います。この病院、お年寄りが多いんですよ、外来の患者さんも入院されてる方も。このくらい若い男性でしたら、記憶に残ります」

梅原看護婦の言葉には微妙なニュアンスがある。貴之は目をみはるほどの美男子というわけではないが、できるだけ贔屓目《ひいきめ》を捨てて冷静に考えても、男として見栄《みば》えがいい方だろう。それに多美子が見せた写真は十年前のものだった。まだ三十代半ばの若々しい男の顔だ。看護婦が、見ていたら記憶に残っているはず、と言ったのは嘘ではないに違いない。実際、病院の中は壮年の男性すらまばらで、看護士の二十代らしい男性が歩く姿を老女たちが羨望《せんぼう》とからかいの眼差しで見送る姿がそこここに目についた。

「渋川さんが入院していらした時に同じ部屋にいた方で、まだ入院中の方はいらっしゃいますか」

多美子の質問は最後の望みをたくしたものだった。梅原看護婦はまたしばらく首を傾げて考えた。

「昔と違って、今は長期入院についてはいろいろとうるさいんですよね、指導が。緊急な治療の必要がない老人性の慢性疾患だけでは、長期入院がなかなか認められないんです。ですから、自宅療養の可能な方はできるだけ退院して貰いますし、どうしても家庭の事情で自宅にいられない場合でも、数ケ月毎《ごと》に一度退院して貰い、また入院手続きをとってもらうことが多いです。そのたびにお部屋は変わってしまいますから……事務室で調べてもらえばこれも判るとは思いますけど、手間がかかりそうですよね……そうだわ、藤井《ふじい》さんは確か、渋川さんと同じ部屋にいたことがあったはずです。心臓が悪くて長期入院されてるおばあちゃまなんですけどね、たぶん、間違いないと思います。今なら回診まで時間があるし、お部屋を訪ねてみられます？」

梅原看護婦は人のいい性格らしく、二人を案内して藤井という老女が入院している病室まで一緒に行ってくれた。仕事があるので、と病室から梅原が出て行ったあとで、多美子はまた同じ写真を藤井とき、というその老女に手渡した。藤井ときは、眼鏡をかけて穴があくほど貴之の写真を見つめ、それから言った。

「いいあんちゃんらっちゃ。でも、さわ子さんのとこには、こんな若え衆《わけ》は一度も見舞いに来んかったちゃ。来てたら忘れるわけねっちゃ、こんないいあんちゃん」

望みは断たれた。唯と多美子は、溜息をかわるがわるつきながら病院を出た。

「やっぱり、渋川さわ子とあの人とは、何の関係もなかったんやろか」

唯の言葉に、多美子は眉を寄せたままでいた。

「あたしはね、偶然ってやつをそんなに認めてないんだ」

多美子は、病院を出るなり煙草を取り出し、駐車場のレンタカーのボディにもたれて一服しながら言った。

「渋川さわ子が、ただ単に佐渡の出身だったってだけなら、あんたのダンナが佐渡に来ようとしていたのはただの偶然だったと言えるかも知れない。でも、さわ子は嫌って捨てた故郷にわざわざ戻った。知り合いも友達もいないのに、なんで？」

「健康を害していることを自覚してたんやないですか……死期が近いと知って、最期は故郷で迎えようと思った」

「そうかもね。でもそれだけの理由ですごすご故郷の田舎町に舞い戻るなんてのは、たかだか二、三坪の土地のことで告訴されても戦ったような女の性格とは、なんかミスマッチなんだよね……いくら正孝が善人だからって、いや、あんな善人だからこそ、さわ子みたいな独立心の強い勝ち気な人間が頭下げるのは嫌だったと思うんだ。仕事の世話をしてもらって入院中も見舞ってもらって、さわ子としてはものすごく居心地が悪かったんじゃないかな。あたしも気の強いタチだから、何となくわかるんだよね。あたしがさわ子なら、おめおめと故郷に戻って従弟の世話になるなんてこと、絶対にしない。そう考えると、さわ子が佐渡に戻ったのには別の目的があったとしか思えない」

「別の……目的」

唯は慎重に言葉を選んだ。

「……娘？」

多美子は頷いた。

「さわ子が恥をしのび、口惜《くや》しい思いをして従弟に頭を下げてまでこの土地に戻ったとしたら、自分を犠牲にしても守りたいものがあったからだと考えるとすっきりする」

「でも娘さんは家出して行方知れずだって」

「姿を現わしたのかも知れない……そして、さわ子はその娘を世間から隠す必要があって、こっそりとこの佐渡に連れて来た……」

「あの」

会話に割り込むようにして声がかかり、唯と多美子は同時に声のした方を見た。そして驚いた。渋川正孝の妻、清美《きよみ》だった。

「申し訳ありません……主人から、こちらに行かれたと聞いたものですから」

「わたしたちを追い掛けて、わざわざ？」

多美子は煙草を地面に落として足で踏み消した。

清美は頷いた。多美子が唯を見た。多美子の瞳が光って見える。清美は情報を提供するためにわざわざ追い掛けて来てくれたのだ。

「主人から今朝、お捜しだという方の写真を見せられまして」

貴之の写真はカラーコピーして何枚も用意してあった。多美子は正孝の手もとに一枚置いて来ていた。

「見憶えがあるんですか！」

唯は抑えることができずに叫んでいた。

「あの人を、知っているんですか！」

多美子が目配せした。落ち着け、下澤！　清美がおびえている。

「知っているというわけではないんです……ただその……一度だけ、写真の男性と似た感じの方がさわ子さんと話してるのを見たことがあるもんですから」

清美はおずおずと言った。

「さわ子さんは吐血するまで、寝たきりというわけではありませんでした。むしろ肝臓のことを除けば元気で、起きて歩き回ってました。いつ頃だったか、たぶん、亡くなる半年くらい前のことだったと思います、お昼過ぎにここに見舞いに来たら、この駐車場の隅でさわ子さんが背の高い男性と話をしていたんです。立ち聞きするのも失礼やし、近くまで行って声をかけると、男性は黙礼だけしてさっと車で……どちらさん？　と訊いたら、さわ子さんは、道を訊かれただけ、観光客だと言ってました。でも、あの時の車がわナンバーと違かったので……さわ子さんも東京に長いこといていろいろあっただろうし、昔の知り合いでも訪ねて来たのか、くらいに思って主人にも言うのを忘れてました。ほんとにちらっと見ただけですから、もしかしたら人違いかも知れないですよ。すみません、間違っていたら」
清美は人違いと決まったかのように何度も頭を下げていた。多美子は動揺を押し隠すようにして早口で礼を言い、話の内容は聞かなかったかとか、どんな服装だったか、車はどんな色だった、などと質問を浴びせていたが、唯は半ば呆然としてその場に立っていた。清美の目撃談がどれほど重大な意味を持っているか、それを受け止めるだけで精一杯だった。

十年の間、どこにも手がかりがなかった貴之の存在が、今、渋川さわ子という女とはっきり繋がったのだ。そしてこの、佐渡という島とも。

とうとう、貴之の影を摑んだ。この手が、貴之の影に届いた。

＊

清美が軽自動車を運転して佐和田温泉へと帰って行くのを見送ってから、多美子は車に乗るように唯を促した。車の中に入ってから、多美子は携帯で川崎調査事務所の新潟支所を呼び出した。唯には何も説明せず、多美子は調査員を二名、佐渡に動員した。この佐渡に貴之がいると、多美子も確信しているらしい。だが多美子は意外なことを言い出した。

「あんた、夕方京都に戻るって言ってたわね」

「そうですけど、いいんです。依頼人に連絡して延期して貰います」

「駄目だよ、引き受けた以上はちゃんとやらないと」

「でも」

「今日明日であんたのダンナの居所が掴めるわけじゃない」

多美子はぴしりと言った。

「うかれるのは早いよ。さわ子はとっくの昔に死んでる。あんたのダンナがさわ子と連絡をとっていたとしても、それは去年終わってる。今、あんたのダンナがどこにいるかは誰にもわからない」

「この島にいることは間違いないやないですか！　いくら大きな島ゆうたかて島は島、人口も少ないし、徹底的に捜せばきっと……」

「今、佐渡にあんたのダンナがいるなんて、どうしてわかる？　渋川清美が目撃した時だって、あんたのダンナが佐渡に住んでいたかどうかはわからないんだよ。本土から見舞いに来ただけだったかも知れない。あんたが先月フェリー乗り場で姿を見かけた時だって、何か用事があって佐渡に向かっていただけだったかも」

「どんな用事ですか！」

唯は声を荒らげていた。多美子が、貴之はこの島にいる、と請け合ってくれないことが苛立たしい。

「そんなこと知らないね」

　多美子は煙草をくわえたまま、素っ気なく言った。

「調査に目星をつけることは大事よ。でもね、思い込みに振り回されると結局時間をロスするのよ。あんたもう、そのくらいのことは学んだはずよ。可能性は二つ。あんたのダンナがこの島に住んでいるか、または住んでいないか。住んでいないとしたら、どんな用事でこの島に来ていたのか。さわ子がなぜ突然故郷に舞い戻ったのかと合わせて想像してごらん」

　唯は瞬きし、清美が現われる直前に多美子が喋りかけていた言葉を思い出した。

「わかった?」

　多美子が横目で唯を見て、薄く笑った。

「この島に住んでいる可能性が高いのは、あんたのダンナより、さわ子の娘よ。もちろんこの島は徹底的に調べさせる。でも捜すのは、男じゃなくて女。女が見つかれば、きっとあんたのダンナもどっかから出て来るよ」

　多美子が吐き出した煙が唯の目に染みた。

「今から新潟の事務所に行って打ち合わせして、それから新幹線で東京に出て、京都に向かう。あたしも一緒に」

「多美子さん……? どうして京都に……」

「あんたは失踪直前のダンナの仕事は全部調べたんだろう？　それで何もおかしなものは見つからなかった。失踪する前の三ケ月以内は京都から出た形跡もなかったって言ってたね？」

「事務所に残っていたファイルを調べた限りでは、そうでした」

「さわ子の娘とあんたのダンナはいつ、どこで出逢った？　ダンナの行動の謎を解くには、そこから考えてみないとね。あんたのダンナは常識的な男で、よほどのことがない限り、突然失踪するような人間じゃなかった。としたら、よほどのこと、が起こったんだ。それも、さわ子の娘と関係したことで。それはいつ？　あんたのダンナの性格からして、よほどのことが起こっても対処する時間があるなら、不意に失踪するなんて不様なことはやらかさなかっただろうと思わない？」

「……思います」

多美子は頷いた。

「つまり、あんたのダンナには、事態に冷静に対処する時間がなかったってことになる。だとしたら、そのよほどのことは、失踪直前に、京都で起こってるはずなのよ。違う？」

「それは考えました。貴之がいなくなる寸前に市内で起こった事件や事故は調べたつもりです」

「見落としたのさ」

多美子はレンタカーのエンジンをかけた。

「あんたは、女が絡んでる可能性をできるだけ否定したかったんだ。だからあんたのダンナと同じ年頃の男が絡んだ事件と事故ばかり追いかけた。きっとね」

唯は反論しようとした。あの当時の事件や事故については徹底的にあたったと言いたかった。だが、言えない自分に気づいていた。多美子の言葉は図星だった。必死で貴之を捜していると思い込みながら、その実は、貴之の背中を見つけてしまうのが怖かったのだ。他の女、自分以外の女と貴之を結びつけるような事実の一切に、目をつぶっていたかった。

待ち続けることは、信じ続けること。

信じていたかったから、目をつぶったのだ。

そして、今、もうこれ以上は信じ続けても無駄だと知った。今からは、待つのではなく、捜さないとならない。

「京都に行って、もう一度当時の事件を洗うわ。下澤、あんたは戻ったら依頼人の仕事をやりなさい」

「いいえ、あたしも」

「足手まといだって言ったでしょ」

多美子の口調はきっぱりと冷たかった。

「探偵はあたしであんたは依頼人。依頼人を引きずって歩いてたんじゃ、調査なんてできっこない。わかるでしょ？」

唯は、結局頷いた。頷くしかなかった。多美子に貴之の行方を捜してもらうことを依頼した時点で、自分は探偵ではなく依頼人になったのだ。夫の不貞を疑い、夫の裏切りを確信してその行動を探るよう事務所を訪れた人妻たちと同じ、依頼人に。

唯は唇を噛んだ。

港が見え、車の中に潮の香が漂い出す。

遥かに遠い陸地まで続く、貴之と自分との間に横たわった暗い海峡が、幻となって唯の脳裏にあらわれる。

5

京都駅に帰り着いたのは午後十時過ぎだった。多美子は、東京駅で予約したホテルにタクシーに乗って去ってしまい、唯はひとりの部屋に戻った。あまりにもいろいろなことを考え過ぎて明け方まで眠れず、諦めて睡眠薬を飲み、ようやく寝ついた時にはカーテン越しに朝日が射し込んでいた。薬のせいで眠りが深く、目覚めて時計を見るともう正午だった。食欲はなく、顔だけ洗って事務所に向かい、事務所でコーヒーをいれてブラックのまま飲み干した。

依頼人を待つ間も、考えていたのは多美子のことばかりだった。多美子は今頃、図書館で十年前の新聞に没頭しているだろう。自分も手伝いたいと言ってどうしていけない？　失踪したのはあたしの夫なのだ。あたしが愛した男なのだ。

それでも、唯は多美子に連絡をとりたい気持ちを抑え込んだ。十年間かけてあたしは失敗した。だから多美子に頼んだ。依頼人を引きずったままでは探偵は動けない。あたしが何か言えば、多美子の判断を狂わせるかも知れない。

午後一時。約束の時間きっかりに、チャイムが鳴った。あまりにもぴったりだったので、逆に依頼人の今津慶子が来たとは思わず、ドアの向こうに宅配便の配達員の声を期待してしまったほどだった。だが、ドアノブを回した唯の視界に入って来たのは、さほど背の高くない少女の姿だった。

「あの……今津です」

少女はおずおずと言った。

予感はしていた。電話での受け答えに不自然さを感じたのだ。高校生だと言いながら、今津慶子は、お年玉を貯めたので調査費用があると説明した。高校生ならアルバイトができる。お年玉、という発想は、もっと幼い子供のものだ。

少女は化粧をし、大人びて見せるためなのかブーツにミニスカート、フェイクファーのハーフコートを羽織《はお》っていた。だが化粧は下手でスカートから突き出ている両脚は、鶏《にわとり》の脚のように細いのに上から下まで棒きれのごとく単調で、ウエストもくびれていないし、胸は明らかにパッドか何かで不自然に膨《ふく》らませている。

中学生だ。それも、二年か一年。最悪、小学六年生だと打ち明けられても驚かないだろう。

追い返すのも可哀想だし、追い返す正当な理由を思いつかなかったので中に入ってソファに座るようすすめたが、溜息が漏れたのはどうしようもなかった。

大人たちが探偵を必要とするなら、子供が必要としてなぜ悪い。そう言われたら何と答えよう？　好きな男の裏切りを心配する気持ちは、三十も半ばを過ぎた自分にしても、目の前にいる少女にしても一緒なのだ。

誰かを愛することを覚えた以上、愛が裏切られることを怖れるのは当然だった。だがこの少女には理解できていない。真実は、多くの場合、嘘よりも心を傷つけるものだということを。

少女は期待しているのだ。心配が杞憂《きゆう》に過ぎず、好きな男はやはり自分を選んでくれていると安心したい。そんな結果が出るに決まっている。決まっているじゃないの……

唯は、ジュースを冷蔵庫から取り出しかけてやめた。本人が大人だと思われようと努力しているのだ、形だけでも大人として扱ってあげないと。他の依頼人に対する時と同じに、煎茶をいれて少女の揃えた膝の前、テーブルの上に置く。向かい合わせた正面に座り、少女の顔を真正面から見据えた。

「今津さん」

唯が言いかけると、少女はそれを遮《さえぎ》って言った。

「お金は払います。現金で。それなら保護者の承諾なんていらないでしょう?」

唯は曖昧《あいまい》に微笑んだ。

「お年玉をどんなにたくさん貰っていたのかはわかりませんけど、調査費用はあなたが考えているより高額ですよ、たぶん」

「三十万あります!」

少女は膝の上に置いていた偽ルイ・ヴィトンのセカンドバッグを開け、銀行の封筒を取り出した。

「これで足りませんか? あといくらあったら、調査してもらえるんですか?」

唯は、封筒を見つめた。三十万は大人にとってもはした金というわけではない。親や親戚からもらうお年玉をまるまる貯金していたのだとしても、三、四年はかかったのではないだろうか。この金があれば本物のヴィトンだって買えるのに、どうしてわざわざ、自分を傷つけるかも知れないものにすべてを捧げようとするのだろう。

少女は必死だった。その、不器用に塗られたグレーのアイシャドウと、あまりにも濃く長くつけ過ぎた黒いマスカラとで縁取られた幼い目の中に、自分と同じ、女がいる。

唯は、ゆっくりと言った。

「三十万あれば、ひと通りの調査はできると思います。ただ」

唯は、もう一度微笑んだ。

「後になって、調査を依頼したことを後悔される方もたくさんいらっしゃいます。このままお帰りになって、恋人を信じ続けてあげることはできませんか？」

今津慶子は、二度瞬きした。それから、唯が心底驚いたことに、余裕のある笑みを見せた。

それは優越の混じった笑顔だった。虚勢ではなく、慶子は自分よりも高いところにいる、と唯は感じた。

「信じ続けようと続けまいと、事実は事実やろ？　タクヤが他の女の子とつきあってるとしたら、知らないでいてもそのうち捨てられるんやもの、うち。そんなん、腹たつやないの。そやからもしタクヤが他の女とできてるんやったら、うちの方からフッたるねん。そうせんと、おかあちゃんみたいなことになる」

少女は、挑むような目で唯を見ていた。

「うちのおとうちゃんね、自殺しよってん。おかあちゃんを裏切って他の女とつきおうて、それで最後は首吊って死んだんえ。なのにおかあちゃん、ずっと信じててん。おとうちゃんが失踪して、あちこち必死に捜しても行方がわからんようになって、それでやっと裏切られてたてわかって、それから探偵雇ったんやで。それで、その探偵がおとうちゃんの死体、見つけてくれたんや。探偵さん、おぼえてへん？　おかあちゃん再婚したし今は今津やけど、うちの昔の名前、遠藤ゆうねん」

遠藤？

遠藤……自殺した男。その死体をあたしが見つけた？

浮気していた男。浮気して自殺した男。

浮気して……自殺して……浮気の相手だった女が……毎日観覧車に乗っていた……

「思い出した？　あの時、うちまだ幼稚園の年長さんやった。おかあちゃんはアホやったから、単身赴任してたおとうちゃんが京都で浮気してるのにちっとも気づいてへんかってん。おとうちゃん、会社で悪いことして追い詰められて、山で首吊って死んだんやろ？　おかあちゃんはとことんアホやから、そんなおとうちゃんが忘れられんと、わざわざ京都に引っ越ししたんやで。おとうちゃんが死んだとこのそばにいたいゆうて。信じられんやろ？」

少女は笑った。声は幼いのに、ひどく哀しい笑い方だった。

「去年、やっと再婚してくれてホッとしたわ。うちな、もうおとうちゃんのことほとんど憶えてへん。単身赴任でたまにしか顔見られへんかったし、死んだ時まだ五歳やったもん。そやからいつまでもうじうじ考えてへんと、はよ再婚し、っていつも言うてたんや。勝手に他の女好きになって勝手に死んだおとうちゃんのことなんか、いつまで考えてても無駄やもん。うち、おかあちゃんみたいに無駄な人生、おくりたないねん。タクヤがうちのこと捨てる気やったら、うちの方から先に捨てたる。おかあちゃんみたいに、踏んだり蹴ったりにされてそれでもまだおとうちゃんのこと好きでいるなんて、うちにはできん！」

慶子は封筒を手にとり、パシン、と音をたててテーブルに叩きつけた。

「これで調べて！　真実は知らない方が幸せよ、なんて、そんな説教聞きたない！　騙されたままで無駄な時間過ごす方が幸せやなんて、そんなん、絶対嘘や！　嘘や！」

谷間の観覧車から見えた光景を、唯は思い出していた。山桜が寄り添う松の枝からぶら下がっていた遠藤という男の白骨死体と、それを毎日見つめながら死を待ち望んでいた女の姿が、昨日観た映画の一場面であるかのように鮮やかに、唯の脳裏に甦る。

父親にバレンタインのプレゼントを用意していた五歳の少女が今ここにこうして立つ未来など、あの時、ほんの少しも想像してはいなかった。自分の調査は遠藤とその不倫相手の死ですべて終わったと思っていた。

知らない方が幸せだなんて、そんなのは嘘だ。

嘘だ。

でも、知ってしまったらその先は、どうすればいい？　何ができる？

少なくとも、少女は何をしたらいいか決めていた。どうすべきか自分なりに決心してから、知ろうとしている。

「お金はいらないわ……必要経費だけ、後でもらいます」

唯は、深い溜息と共に言った。

「調査してくれるんですか？」

慶子の問いかけに、唯は小さく頷いた。

「あたしにとって、あなたの依頼は……七年前の調査の続きだから。費用はもう、あなたのお母さまからいただいています」

「変なの」

慶子は笑った。

「おかあちゃんが頼んだのはおとうちゃんを見つけてもらうことで、タクヤの浮気を見つけることとは何も関係ないやん」

「そうね」

唯も笑った。

「何も関係ない。でも、あたしには続きなのよ。続きなの。……慶子さん、あなた知ってる？　あの観覧車、もうすぐ取り壊されるのよ。遊園地、閉園になるんですって、今度の春で。新聞に出ていたわ」

慶子は何の反応も見せなかった。ただ、こくりと頷いただけだった。

「これに記入してください」

唯は立ち上がって机の引き出しから調査申し込み書を取り出し、ボールペンと共に慶子の前に置いた。慶子は几帳面《きちょうめん》な字で空欄を埋めていく。その字や書き方から、慶子の一途な真面目さが伝わって来る。悪ぶって見せていても、この少女は真摯《しんし》なのだ。自分の、女としての人生に対して、わずか十三歳にもならないのに、こんなにも真剣なのだ。

タクヤ、という男は浮気をしているだろう。そもそも、この少女に対して本気なのかどうかもわからない。えぐり出された残酷な事実を両手に抱えて、あたしはこの子に何と告げればいいのだろう。

だが逃げることはゆるされない。七年前、白骨死体を探し出して残酷な現実の中に母と子を突き落としたのはあたし自身だった。それが探偵なのだ。探偵という存在なのだ。

探偵は、いつも依頼人を傷つける。多美子の言葉だった。

そして、真実だった。

「ひとつ、教えてくれる？」

唯は、ボールペンを動かしている少女に問いかけた。少女は手を休めずに頷く。

「あなた、タクヤくんのこと、どれくらい好き？」

なぜそんな意地の悪い質問をするのだろう。そんなことをこの少女に答えさせて、どうするつもりなんだろう、あたし。

「むちゃくちゃ、好き」

少女は下を向いたまま、文字を書いたままで言った。一秒も躊躇うことなく、堂々と、言った。

あたしは女で、この子も、女だ。

唯は、羨望と嫉妬と感嘆と、そして微かな憎悪をこめて、慶子の若い指先を見つめた。

＊

「で」

多美子はコーヒーカップについた口紅を指先で拭った。

「本気で引き受けるわけ、そんなガキの依頼」

「逃げられんもの」

唯はスプーンで紅茶の中のレモンを潰した。

「因果やから」

「あたしなら断るね。うちの事務所は未成年の依頼はお断りです、他をあたってちょうだいって追い出す」

「そうしたかった。でも、できなかった」

「どうして？」

「さあ……なんでやろう。もしかしたら」

「もしかしたら？」

「……あの子が泣くのを見たくなったから、かも」

多美子は笑って煙草をくわえた。

「下澤もおばさんになったね。中学生に嫉妬してんだから」

その通りだ。あたしもおばさんになった。若さや一途さが疎《うと》ましいと感じるようになった。

「だけど」

多美子は無造作に、コピーした紙の束を唯の前に放った。

「泣くはめになるのはあんたが先かもね。それ、読む前に覚悟はしなさいよ」

唯は目を見開いた。

「……何か見つけたんですか？」

声が掠《かす》れる。多美子は黙ったまま頷いた。

紙をめくる指先が微かに震える。

新聞記事をまるごと書き写した文章だった。多美子が図書館で、手書きで写して来たものだ。記事はどれも短かったが、全国紙と京都の地方紙の両方ともに掲載されていた。

『深夜の路上に男性の変死体
七日午前四時過ぎ、左京《さきよう》区一乗寺《いちじようじ》の住宅街で男性がうつぶせに倒れているのが発見され、病院に運ばれたがすでに死亡していた。頭部に打撲傷があり、死因とみられている。他殺と過《あやま》って転倒したことによる事故死の両面から調査中』
『七日未明に左京区の路上で遺体で発見された男性は、推定年齢四十から五十歳前後、二条大橋付近の鴨川河原で生活していた路上生活者とみられており、引き続き身元の確認を急いでいる』
『遺体で発見された路上生活者男性の死因は頭蓋骨骨折と判明、現場付近の路上に転倒したとみられる痕跡が認められることから事故死と思われるが、他殺の可能性も残されており、断定はされていない。身元については、一緒に生活していた仲間内ではトクさんと呼ばれていたということ以外には判っていない』

「ホームレスが転んで頭打って死んだ。それだけのことだからね、あんたが見落としたとしても仕方ないけど」

多美子の言葉に、唯の声はますます掠れた。

「でも……どうしてこれが……貴之の失踪と関係があると……？」

「続報を読んで。それ」

多美子が指差した箇所を、唯は凝視した。

『一乗寺の路上で転倒死したとみられている男性が住んでいた小屋に、若い女性がたびたび訪れていたという目撃情報があり、男性の身内ではないかと思われるため、警察は、女性に名乗り出てくれるよう呼び掛けている』

「結局、他殺か事故死か特定はできず、身元も不明のまま。捜査本部もできなかったくらいだから、警察も事故死って見解だったみたいね。あんたのダンナの失踪は確か、同じ九月の八日。六日は仕事で一晩中張り込みしていたことになってて、七日の午前中に一度家に戻って来て、それで夕方まで寝ていて、また張り込みするって出かけて行ってそれっきり、だったよね？　でも七日の午後十一時過ぎに、あんたのとこに、先に寝てろって電話があった」

唯は頷いた。

あれが、貴之の声を聞いた最後になった。今夜も徹夜だから先に寝てていいよ。鍵は持ってるから。チェーンはかけないでおいてくれよ。明日の朝、部屋に入れなかったら困るから。唯が起きるまでには帰る。

起きるまでには、帰るから。

「時間的に、その事件があんたのダンナの失踪と関係してるって可能性が高いと思う。そしてもしそうなら……そのホームレスの死因は、転倒じゃないだろうね」

多美子の口調はあまりにも淡々としていて、まるで明日の天気の話でもしているかのようだった。

唯は、目の前がぼやけて白くなるのを感じていた。佐渡に行く前からひそかに怖れていた結論が、今、目の前にある。

貴之が姿を消し、世間から隠れて待っているもの。それは……時効。

唯は、深呼吸した。気絶するのも泣くのも嫌だった。

嫌だった。

終章、そして序章

唯は、髪を明るい茶色に染めた青年の背中を見失わないよう、歩調を早めた。

尾崎卓也《おざきたくや》はまったく警戒せずに歩いている。浜崎《はまざき》あゆみそっくりの化粧をした女性の細い腰を抱き、得意げな笑みを浮かべたままで。

卓也の耳から下がった銀色のピアスが光線の加減でやたらと光っている。二人が向かっているのがラブホテルであるのは疑いようがない。その道は袋小路になっていて、奥に二軒のラブホテルが競い合うように建っている。尾行して今日でまだ三日、あっけなく今津慶子の調査依頼は完了しそうだった。

報告書はできるだけ事務的に書く。そして何も言わずにそれを慶子に渡す。

慶子の人生にとっては、もっといい方法が他にあるのかも知れない。だが所詮、自分は探偵なのだ。探偵として、引き受けた仕事を済ませるしかない。

谷間の観覧車では、てっぺんまで登っても山肌と空以外の何も見えなかった。それでも観覧車である以上、まわるしかなかったのだ。上に、下に。また上に。その観覧車ももうすぐ使命を終えて解体される。時は流れ、五歳の少女は女性になり、あたしは歳をとって意地悪くなり、貴之の裏切りを知って、ひとりぼっちだ。

あれほど自分を支えてくれていた兵頭風太にさえも、秘密を持った。貴之が待っているものが本当に時効であるなら、それは決して風太には話せない。風太は警察の人間で、そしてあたしは……あたしは……

むちゃくちゃに、好き。

まだ。

どうしたらいいのか、どうしたいのか、あたしにはまだわかっていない。多美子は、どうしたいのかとは訊いてくれない。多美子にとっても、依頼人は依頼人でしかなく、引き受けた仕事を済ませて報告する以外にはどうしようもないのだろう。佐渡では多美子の事務所の探偵たちが渋川さわ子の娘を捜し、多美子はずっと京都に居座ってホームレスの事件を調べている。

そしてあたしは、ラブホテルに入っていくカップルの写真を、今、撮った。

何かが視界に入った。唯は目をこらし、自分が見たものが信じられずに瞼の上をこすり、もう一度目を開いた。

「待って！」

唯は叫びながら走り出した。確かに今、いたのだ。そこにいた。ラブホテルの入口のそば、椿《つばき》の植え込みの蔭に。

「待ってぇぇぇぇえっ！」

悲鳴に近い声をあげながら唯は走った。今さっきそこに立っていた男の姿は、まぎれもなく夫だった。貴之だった！

路地から表通りに飛び出し、男の影が消えた方に向かって駈けた。泣きながら、駈けた。

走って走って、息が切れて、それでも走って、気がつくと、唯は人気のない路上に立ち尽くしていた。

幻だったのだろうか。

どこか頭上の空の遠くで、自分をあざ笑っている声が聞こえる気がした。裏切られて見捨てられて置き去りにされて、それでもまだ、追いかけて泣いている自分を、みっともなくあがいている自分を、誰かが笑っている。腹を抱え、涙を流して笑っている。

幻の貴之は、あそこで何をしていたのだろう。

唯は笑い出した。そうだ、そうに違いない。幻影の中でまで貴之は、あそこで、誰かの不倫写真を撮っていたのだ。

おかしくて、おかしくておかしくて、おかしくて、唯は笑った。流れても流れてもまだ足りずに流れ続ける涙を両手の掌に受け止めながら、心ゆくまで笑った。

貴之が何を待っていようと、どこにひそんでそれを待とうと、あたしは必ず捜し出す。つきとめる。捕まえる。取り戻す。

必ず。

ただ帰りを待ち続けるなんて、もうまっぴらだ。

あたしは生きているんだもの。石の地蔵じゃ、ないんだもの。

笑い疲れて、唯は大きく肩で息をした。

膝の力が静かに抜けた。

誰でもいいから、今夜は男と寝たい。

そう思った。

切実に、思った。

あとがき

私立探偵・下澤唯《しもざわゆい》の物語をお届けいたします。

彼女は夫の失踪後、夫を待つために探偵事務所を引き継ぎました。そして探偵として調査にかかわり、時が経ち、彼女は変貌します。

この連作集は、七年の間に変化してゆく唯の心を映し描いた物語集です。

最初の物語は一九九五年の春が背景となっています。

この年、わたしは横溝正史賞《よこみぞせいし》という新人賞で作家としてデビューしました。同じ年の一月に阪神淡路《はんしんあわじ》大震災があり、横溝賞の最終候補に残ったと角川書店から知らせがあった時にはまだ、神戸から夫の両親が、京都に住むわたしたちのところに避難して来ていた状態でした。混乱の中で、唖然としている自分の目の前で、わたしの人生は激変して行きました。

　受賞が決まり、受賞作を刊行する準備をし出した頃、受賞者の慣例に従って『野性時代』（角川書店）に短編小説を書き下ろすよう依頼がやって来ました。受賞作は公募に投稿した作品ですから、アマチュアの時に書いたものになります。従って、その時依頼された短編が、わたしのプロ作家としての初仕事となり、生まれて初めての「注文に応じて書いたプロとしての小説」となったわけです。

　それが『観覧車』です。

　従いまして、この連作集の冒頭作品は、わたしのプロ作家としての出発点を示すものになります。そして、このあとがきを書くほんの十分ほど前に書き上げた最新作が、連作集の最後になった『遠い陸地』と『終章、そして序章』です。つまりこの連作集ははからずも、わたしのデビュー以来の七年間を凝縮するものとなりました。唯の心の変化と共に、わたしという作家の変化もまた、感じていただけるのではないでしょうか。それが成長であれ停滞であれ後退であれ、唯もわたしも、その変化を自分で選択して生きています。それを楽しんでいただければ、何よりの幸せです。

『観覧車』を書いた頃のわたしはとても無邪気で、新人の短編集など業界常識的には遠い夢だということも知らずに、どうせ書くならばシリーズにできるような主人公と設定にしようなどと欲張って、夫の失踪という重荷を唯に背負わせてしまいました。しかし二作目の『約束のかけら』を発表した直後に『野性時代』が休刊となってシリーズは早くも頓挫《とんざ》。唯の物語を続けさせてもらえる場所を探して、『ミステリマガジン』(早川書房)、『オール讀物』(文藝春秋)、とお世話になり、なんとか四作まで書いたのですが、その後なかなか掲載先が決まらず、唯に申し訳ない思いで過ごしていました。

ようやくのことで、唯の物語を続けたい、連作集を出したいという熱意を祥伝社に受け入れていただき、数年ぶりで五作目を『小説NON』に掲載することができた時には、本当にほっといたしました。そして今やっと、七年の歳月を経て、念願の連作集を出せるはこびとなり、あらためて幸福を感じています。

ですが、唯の夫・貴之失踪の謎はまだ解けていません。このままにしておいたのでは唯も可哀想ですし、読者にも申し訳ありません。きちんと謎を解き明かす物語の構想を用意していますので、また別の作品として発表したいと思っています。気長にお待ちいただければ嬉しく思います。

七年の間、唯の物語を支えてくださったすべての皆様、本当にありがとうございました。とりわけ、元角川書店・片岡宏泰氏、元早川書房・竹内祐一氏、文藝春秋・大嶋由美子氏、祥伝社・坂口芳和氏、同じく祥伝社・山田剛史氏の多大なる忍耐と労力、そして励ましに、この場を借りまして、深く感謝の意を表したいと思います。

二〇〇三年　一月

柴田《しばた》よしき

文庫版あとがき

この作品集が刊行されてほどなくして、北朝鮮による拉致《らち》事件の問題がマスコミに大きくとりあげられるようになり、佐渡、という場所と、拉致、という問題が頻繁に結びつけて語られるようになりました。

ひとりの成人男性の突然の失踪《しっそう》、その事件の舞台に佐渡を選んだのは、本当に偶然に過ぎなかったのですが、現実の問題としてあらわれた事の大きさ、深刻さに、とても複雑な思いを抱いています。

物語の方は、まだ肝心な部分の謎がとけておらず、続編、と言うよりは、もうひとつ別の作品で、それらを語るつもりでおります。しかし、この作品集をお読みいただく際には、残された人々の思いに心を馳《は》せていただき、唯《ゆい》の物語、としてお読みいただければと思います。

二〇〇五年五月

柴田よしき

解説

新井素子《あらいもとこ》

とても、切ない、お話だ。

主人公の唯《ゆい》は、夫に失踪され、ひたすら夫を待つ為に、探偵事務所を引き継ぐ。（あ、失踪した旦那さんが、自分の事務所を持つ私立探偵だった訳。そんでもって、いつか、あの人が帰ってきた時、事務所がなくなっていたら困るんじゃないか、そんなつもりで、夫の事務所を引き継いだの。）そんな唯の事務所で請け負った、さまざまなエピソードを描いた連続短編集。

基本的に一話一話は独立しているから、ばらばらで読んでもまったくＯＫ、ばらばらに読んでも、切なかったりいい話だったりする作品達なんだけれど——底に、くっきりと、流れているものがある。

唯の気持ち。とても、切ない。

☆

一話目は、夫の事務所を引き継いで三年、まだまだ仕事に慣れない唯が、必死になって夫の残したものを守ろうとしつつ、ひたすら夫の帰りを待つ、そんな時期のお話。

そして、終章は、事務所を引き継いで十年たち、その間、さまざまな経験を経た唯が、私立探偵って仕事を通して、いろいろなことに通暁《つうぎよう》してしまい……また、失踪した夫の手がかりの切れっ端のようなものを手にいれた、そんな時期のお話。まだ待っているんだけれど、勿論《もちろん》待っているんだけれど、待っているのに、でも、同時に、〝積極的に探す〟っていう行動にでてしまった、そんな時期のお話。

どうしよう。もう、十年もたつのに。

『むちゃくちゃに、好き。

まだ。』

十年、私立探偵をやってきたのだ、判《わか》りたくもないのに判ってしまったこともある。この年月がたち、この状況が成立する以上、旦那の現状について、推測ができてしまうことがある。十年という月日と、私立探偵の経験が、知りたくもなかったそんなことを、唯に教えてくれてしまった。

でも。どうしよう。

『むちゃくちゃに、好き。まだ。』

あうう、切ない。

☆

柴田さんの書く女は、基本的に、強い。もう……泣きたくなるくらい、強い。

うん、唯だってね、何も、旦那の残した私立探偵事務所なんて、ほっといてよかったんだよ。ある日、旦那に勝手に失踪されてしまった妻なんだもの、ずっと、ずっと、泣いて、待って、泣いて、待って、そのうち十年がたって（いや、失踪宣告は七年でだせるんだっけか）、まあ、そのくらい時間がたったら、そろそろ心も動いてくる。新たな生活を営《いとな》んで、再婚なんかも考える。これで、何の問題もあるもんか。もう、充分、悲劇の人妻である。そういう人を書いたお話だって、充分に切なくなるだろうと思う。

けど……唯は、そんなことをしないのよ。がんばって、勝手にいなくなってしまった旦那の面影をささえ続け、勝手にいなくなってしまった旦那の過去の生活をささえ続け……結果として知りたくもなかったことを知り……そんで。

『むちゃくちゃに、好き。まだ。』

どうしよう、これは、弱い女が十年泣き暮らすのより、ずっと、ずっと、哀しい。切ない。

それに、だ。そもそも、人間って、そんなに〝泣きながら待つ〟ことができる生き物じゃないと思う。今、便宜的に、〝弱い女が十年泣き暮らすのより〟なんて書いちゃったけれど、そもそも、十年泣き暮らすことができる人は、物理的にいないだろう。

〝泣く〟っていう行為自体に自浄作用があるから、ずっとずーっと泣いていれば、いつか、泣かない朝が来る。余程恵まれた人でない限り、泣いていたって御飯は食べなきゃいけないし、生活だってしなければいけない。自分の生活と自分の人生を営んでいれば、いつか、忘却って作用が働く。

だが。

唯は、なまじ、強いから。最初っから、泣き暮らすかわりに、旦那の仕事を肩代わりしてしまう。だから、泣いている暇はない。そのかわり、自浄作用が働かないから、いつまでたっても、唯の心は、涙を流し続けている。探偵って仕事を続けているから、自分の生活と自分の人生を営めば営む程、うしろに旦那の存在を感じ、忘却って作用が働かない。

だから、十年。そして、十年。半ば惰性のようにして、十年。

唯は旦那のことを思いながら生きてくることができちゃった訳で……これは、ただ泣き暮らし、いずれ傷がふさがってゆくヒロインよりも、はるかに鮮烈に〝切ない〟思いを、読者の心の中に残すのだ。

強い女って……哀しい、よ、なあ……。

☆

ところで、話はまったく変わるのだが。作中で、唯は、判ってしまう。

〝男は、嘘をつくのだ。決してついてはならない、嘘を〟。

それはまことにお説ごもっともと思うのだが、真実だと思うのだが……でも、同時に、ちょっと違うかも知れないって気も、する。私は、恋愛経験値がとっても低いので、偉《えら》そうにこんなこと言えた義理じゃないんだが……。

男って、決してついてはならない嘘をつく生き物なのと同時に、〝約束〟と〝希望的観測〟の区別がつかない、単なる莫迦《ばか》なんじゃないのか？

女は、約束をする時、現実を考える。どんなに自分がそれをしたくても、実現できる可能性が低いことは、まず、約束しない。かなり実現率が高そうなことでも、百パーセントでなければ、「かくかくしかじかになったらそれは無理だから、その場合はごめん」って、最初っからエクスキューズをつける。

ところが、どうも男は、自分がしたいと思っていることは、実現率はおいといて、約束してしまいがちな、言ってしまいがちな、傾向があるんじゃないかと思う。よくよく考えてみればまず無理なのに、本当なら、「もしも運がよくてそんな星の巡り合わせになったとしてあんなことができるといいな」って程度の実現可能性のものを、「しよう」「する」って言っちゃって。言われた女は、それを約束だと思い、結果、それが裏切られた時、嘘をつかれたって思ってしまう。現実は、単に男が莫迦か、日本語が下手なだけなのに。

これを嘘って言ってしまうと、何か、あまりに、可哀想だ。

あ、勿論、嘘をつくつもりじゃなくて、嘘をついたって言われる男が可哀想な訳じゃない。そんなこと、あるもんか。結果として、〝嘘をつかれた形になってしまった女〟が、あまりに、あまりに、可哀想だ。

だって。嘘なら、まだ、いいのよ。嘘ついた方が、嘘ついたっていう自覚をもっているから。嘘ついた以上、多少は罪悪感をもってくれるから。でも、こんな形だと、男の方には、罪悪感のかけらもなくて……あああっ。

☆

強い女って、哀しいよ、なあ。

同時に……女って、哀しいかも、知れない。

自分以外の人類の半分が、莫迦かも知れないって……これは、とても、哀しい……。

柴田よしき著作リスト

〈R─0（リアルゼロ）シリーズ〉

『ゆび』（文庫書下ろし）　祥伝社文庫　1999・7

『0《ゼロ》』（文庫書下ろし）　祥伝社文庫　2001・1

『R《リアル》─0《ゼロ》　Amour《アムール》』（文庫書下ろし）　祥伝社文庫　2001・9

『R《リアル》─0《ゼロ》　Bête《ベト》 noire《ノワール》』（文庫書下ろし）　祥伝社文庫　2002・2

〈Vシリーズ〉

『Vヴィレッジの殺人』（文庫書下ろし）　祥伝社文庫　2001・11

『クリスマスローズの殺人』　原書房　2003・12

〈村上緑子シリーズ〉

『RIKO─女神《ヴィーナス》の永遠─』　角川書店　1995・5（文庫）角川文庫　1997・10

『聖母《マドンナ》の深き淵』　角川書店　1996・5（文庫）角川文庫　1998・3

『月神《ダイアナ》の浅き夢』　角川書店　1998・1（文庫）角川文庫　2000・5

〈炎都シリーズ〉
『炎都』　トクマ・ノベルズ　1997・2（文庫）徳間文庫　2000・11
『禍都』　トクマ・ノベルズ　1997・8（文庫）徳間文庫　2001・8
『遙都―渾沌出現―』　トクマ・ノベルズ　1999・3（文庫）徳間文庫　2002・8
『宙都―第一之書―美しき民の伝説』　トクマ・ノベルズ　2001・7
『宙都―第二之書―海から来たりしもの』　トクマ・ノベルズ　2002・1
『宙都―第三之書―風神飛来』　トクマ・ノベルズ　2002・7
『宙都―第四之書―邪なるものの勝利』　トクマ・ノベルズ　2004・6

〈猫探偵正太郎シリーズ〉
『柚木野山荘の惨劇』　カドカワエンタテインメント　1998・4（文庫）角川文庫　2000・10（『ゆきの山荘の惨劇―猫探偵正太郎登場』と改題）
『消える密室の殺人―猫探偵正太郎上京』（文庫書下ろし）　角川文庫　2001・2
『猫探偵・正太郎の冒険Ⅰ　猫は密室でジャンプする』　カッパ・ノベルス　2001・12（文庫）光文社文庫　2004・12（『猫は密室でジャンプする　猫探偵・正太郎の冒

険①』と改題）
『猫は聖夜に推理する　猫探偵・正太郎の冒険Ⅱ』　カッパ・ノベルス　2002・12
『猫はこたつで丸くなる　猫探偵・正太郎の冒険Ⅲ』　カッパ・ノベルス　2004・1

〈花咲慎一郎シリーズ〉
『フォー・ディア・ライフ』　講談社　1998・4（文庫）講談社文庫　2001・10
『フォー・ユア・プレジャー』　講談社　2000・8（文庫）講談社文庫　2003・8
『シーセッド・ヒーセッド』　実業之日本社　2005・4

■その他の長編
『少女達がいた街』　角川書店　1997・2（文庫）角川文庫　1999・4
『RED RAIN』　ハルキノベルス　1998・6（文庫）ハルキ文庫　1999・11
『紫のアリス』　廣済堂出版　1998・7（文庫）文春文庫　2000・11
『ラスト・レース―1986冬物語』　実業之日本社　1998・11（文庫）文春文庫　2001・5
『Miss You』　文藝春秋　1999・6（文庫）文春文庫　2002・5

『象牙色の眠り』　廣済堂出版　2000・2（文庫）文春文庫　2003・5
『星の海を君と泳ごう　時の鐘を君と鳴らそう』　アスキー（アスペクト）2000・3
『PINK』　双葉社　2000・10（文庫）双葉文庫　2002・12
『淑女の休日』　実業之日本社　2001・5
『風精《ゼフィルス》の棲む場所』　原書房　2001・8（文庫）光文社文庫　2005・6
『Close to You』　文藝春秋　2001・10（文庫）文春文庫　2004・10
『ミスティー・レイン』　角川書店　2002・3
『好きよ』　双葉社　2002・8
『聖なる黒夜』　角川書店　2002・10
『蛇《ジャー》』（上・下）　トクマ・ノベルズ　2003・11
『水底の森』　集英社　2004・2
『少女大陸　太陽の刃、海の夢』　ノン・ノベル　2004・7

■連作中・短編集

『桜さがし』　集英社　2000・5（文庫）集英社文庫　2003・3
『ふたたびの虹』　祥伝社　2001・9（文庫）祥伝社文庫　2004・6
『残響』　新潮社　2001・11（文庫）新潮文庫　2005・2

『観覧車』　祥伝社　２００３・２（文庫）祥伝社文庫　２００５・６
『ワーキングガール・ウォーズ』　新潮社　２００４・10
『窓際の死神《アンクー》』　双葉社　２００４・12
『夜夢』　祥伝社　２００５・３

■短編集

『貴船菊の白』　実業之日本社　２０００・３（文庫）新潮文庫　２００３・１
『猫と魚、あたしと恋』　イーストプレス　２００１・10（文庫）光文社文庫　２００４・９

○このリストは、２００５年５月現在のものです。
○各作品の内容については、柴田よしきホームページ（http://www.shibatay.com）内でも紹介されています。

ノン・ノベル　祥伝社
カドカワエンタテインメント　角川書店

カッパ・ノベルス　光文社
トクマ・ノベルズ　徳間書店
ハルキノベルス　角川春樹事務所
ハルキ文庫　角川春樹事務所
文春文庫　文藝春秋
※アスキー（アスペクト）は現・エンターブレイン

（本書は平成十五年二月、小社から
四六判で刊行されたものです）

観覧車

一〇〇字書評

切り取り線

購買動機（新聞、雑誌名を記入するか、あるいは○をつけてください）	
□（　　　　　　　　　　）の広告を見て	
□（　　　　　　　　　　）の書評を見て	
□ 知人のすすめで	□ タイトルに惹かれて
□ カバーがよかったから	□ 内容が面白そうだから
□ 好きな作家だから	□ 好きな分野の本だから

●最近、最も感銘を受けた作品名をお書きください

●あなたのお好きな作家名をお書きください

●その他、ご要望がありましたらお書きください

住所	〒				
氏名		職業		年齢	
Eメール	※携帯には配信できません	新刊情報等のメール配信を希望する・しない			

あなたにお願い

この本の感想を、編集部までお寄せいただけたらありがたく存じます。今後の企画の参考にさせていただきます。Eメールでも結構です。

いただいた「一〇〇字書評」は、新聞・雑誌等に紹介させていただくことがあります。その場合はお礼として特製図書カードを差し上げます。

前ページの原稿用紙に書評をお書きの上、切り取り、左記までお送り下さい。宛先の住所は不要です。

なお、ご記入いただいたお名前、ご住所等は、書評紹介の事前了解、謝礼のお届けのためだけに利用し、そのほかの目的のために利用することはありません。またそのデータを六カ月を超えて保管することもありませんので、ご安心ください。

〒一〇一―八七〇一
祥伝社文庫編集長　加藤　淳
〇三（三二六五）二〇八〇
bunko@shodensha.co.jp

祥伝社文庫

上質のエンターテインメントを！　珠玉のエスプリを！

祥伝社文庫は創刊15周年を迎える2000年を機に、ここに新たな宣言をいたします。いつの世にも変わらない価値観、つまり「豊かな心」「深い知恵」「大きな楽しみ」に満ちた作品を厳選し、次代を拓く書下ろし作品を大胆に起用し、読者の皆様の心に響く文庫を目指します。どうぞご意見、ご希望を編集部までお寄せくださるよう、お願いいたします。

2000年1月1日　　祥伝社文庫編集部

観覧車《かんらんしゃ》　恋愛ミステリー

平成17年6月20日　初版第1刷発行
平成20年3月15日　第4刷発行

著者　柴田《しばた》よしき
発行者　深澤健一
発行所　祥《しよう》伝《でん》社《しや》

東京都千代田区神田神保町3-6-5
九段尚学ビル　〒101-8701
☎ 03(3265)2081(販売部)
☎ 03(3265)2080(編集部)
☎ 03(3265)3622(業務部)

印刷所　図書印刷
製本所　図書印刷

ISBN4-396-33226-2 C0193
祥伝社のホームページ・http://www.shodensha.co.jp/

祥伝社文庫

柴田よしき　ゆび

東京各地に〝指〟が出現する事件が続発。幻なのかトリックなのか？　やがて指は大量殺人を目論《もくろ》みだした。

柴田よしき　0《ゼロ》

10から0へ。日常に溢れるカウントダウンの数々が、一転、驚天動地の恐怖を生み出す新感覚ホラー！

柴田よしき　R-0《リアル・ゼロ》 Amour《アムール》

「愛」こそ殺戮の動機!?　不可解な三件のバラバラ殺人。さらに頻発する厄災とは？　新展開の三部作開幕！

柴田よしき　R-0《リアル・ゼロ》 Bête《ベト》 noire《ノワール》

愛の行為の果ての猟奇殺人。女が男を嬲《なぶ》り殺しにする事件が続く。ハワイの口寄せの来日。三部作第二弾。

柴田よしき　V《ヴィ》ヴィレッジの殺人

女吸血鬼探偵・メグが美貌の青年捜しで戻った吸血鬼村で起きた絶対不可能殺人。メグの名推理はいかに!?

柴田よしき　ふたたびの虹

小料理屋「ばんざい屋」の女将の作る懐かしい味に誘われて、今日も集まる客たち…恋と癒しのミステリー。

祥伝社文庫

近藤史恵　カナリヤは眠れない

整体師が感じた新妻の底知れぬ暗い影の正体とは？　蔓延する現代病理をミステリアスに描く傑作、誕生！

近藤史恵　茨姫《いばらひめ》はたたかう

ストーカーの影に怯《おび》える梨花子。対人関係に臆病な彼女の心を癒《いや》す、繊細で限りなく優しいミステリー。

近藤史恵　この島でいちばん高いところ

極限状態に置かれた少女たちが、自らの生を見つめ直すさまを、ピュアな感覚で表現した傑作ミステリー！

近藤史恵　Shelter

心のシェルターを求めて出逢った恵といずみ。愛し合い傷つけ合う若者の心に染みいる異色のミステリー。

原　宏一　床下仙人

注目の異才が現代ニッポンを諷刺とユーモアを交えて看破する、〝とんでも新奇想〟小説。

森奈津子　かっこ悪くていいじゃない

何度目かの不倫にまたしても嵌った美里、28歳。そこに美貌の女性が現れて、バイでもある美里は…。

祥伝社文庫

乃南アサ　今夜もベルが鳴る

落ち着いた物腰と静かな喋り方に惹《ひ》かれた男から毎夜の電話…が、女の心に、ある恐ろしい疑惑が芽生えた。

乃南アサ　微笑《ほほえ》みがえし

幸せな新婚生活を送っていた元タレントの阿季子。が、テレビ復帰が決まったとたん不気味な嫌がらせが…。

乃南アサ　幸せになりたい

「結婚しても愛してくれる?」その言葉にくるまれた「毒」があなたを苦しめる!男女の愛憎を描く傑作心理サスペンス。

乃南アサ　来なけりゃいいのに

OL、保母、美容師…働く女たちには危険がいっぱい。日常に潜《ひそ》むサイコ・サスペンスの傑作!

乃南アサ　女のとなり

好、妨、妖…女偏《へん》のつく漢字を眺めながらその意味を考えると…。観察眼冴えるハラハラどきどきエッセイ。

横森理香　をんなの意地

コスメ・ライターの加奈とファッション誌編集者・美也子。互いに30代後半を迎え、強まる相互依存関係…。

祥伝社文庫

東野圭吾　ウインクで乾杯

パーティ・コンパニオンがホテルの客室で毒死！　現場は完全な密室…見えざる魔の手の連続殺人。

東野圭吾　探偵倶楽部《くらぶ》

密室、アリバイ、死体消失…政財界のVIPのみを会員とする調査機関が秘密厳守で難事件の調査に当たる。

新津きよみ　なくさないで

送り主不明の封筒に真珠のイヤリング。呼び覚まされる遠い記憶。平凡な主婦を突如襲った悪意の正体は？

新津きよみ　決めかねて

結婚する、しない。産む、産まない。別れる、別れない…。悩みを抱える働く女性3人。いま、決断のとき。

新津きよみ　かけら

なぜ、充たされないの？　恋愛、仕事、家庭――心に隙間を抱える女たちが、一歩踏み出したとき…。

新津きよみ　愛されてもひとり

田舎暮らしの中井絹子の夫が脳梗塞で急逝。嫁と相性が合わず、絹子は自活を決意するが…。長編サスペンス。